試衣間的暗門

都市傳說系列06

笭菁 著

都市傳說6：試衣間的暗門

楔子

熱鬧的異國大街上，人潮眾多，雖不至摩肩擦踵，但是對拎著大包小包的女孩來說，還是不時的會受到碰撞。

「哎喲，我累死了啦！」方妍華抱怨著，「再不坐下來我會瘋掉，我們找地方坐啦！」

「好啦，這麼不耐操！」戴著髮圈的劉品娜笑著，「反正離會合時間還有一小時……啊，前面有咖啡廳！」

「快走！」馬尾女孩已經受不了了，直想衝進店裡坐下來。

兩個女孩拎提著戰利品在人群間穿梭，她們是高中同學，這是個小型畢業旅行，六個好友連同其中一對父母一道出遊，只屬於她們的畢旅。

小女生看到什麼都想買，不知不覺就買了這麼一大堆，又沉又累。

「咦？」方妍華突然停下來，好奇的向後退了一步，看向身旁的巷裡。

「幹嘛？」劉品娜也湊過來，「看到什麼了嗎？不管看到什麼，我們等等再來嘛！」

「就看一眼！」方妍華眨了眼，「不然妳在這邊等我一下？」

不等回答，方妍華已經轉進巷子裡，原來她瞧見了距巷口僅兩間店面的服飾店，門口吊掛著一排衣服，最前頭是一件漂亮的嫩粉毛衣。

劉品娜再不甘願還是跟著走，那服飾店的櫥窗著實迷人，佈置的是粉色典雅風格，不管是吊掛在外頭衣架上的衣服，或是櫥窗裡兩個模特兒身上的搭配，都是足以吸引人的美衣。

這就是僅僅一瞥，還是讓方妍華駐足的原因。

「好漂亮喔！」連劉品娜都忍不住仰首看著櫥窗裡模特兒身上的風衣，「看起來很貴耶！」

「嗯……」方妍華正動手看著掛在前頭架上的粉紅色毛衣，「欸，還好耶，這件才一千多……」

「一千多很貴了！」劉品娜相當爲難，爸媽給她的畢旅基金並不多。

方妍華已經把衣服連同衣架取下，利用櫥窗玻璃微弱的反射比著衣服，想看看適不適合自己。

「歡迎！」裡頭站出了美麗的店員小姐，「想要試穿嗎？」

她雖是用英文說著，但逛這麼多天了，她們都知道基本單字：Try，掛在外面的也可以試穿嗎？

「Yes！」方妍華興奮的立即點頭，就要踏進店裡。

「欸……妳不要一進去就失心瘋啊！」劉品娜太瞭解方妍華了，有附卡的人就是刷不停啊，「我們等等再來嘛！」

方妍華咬著唇，她的確還喜歡媽豆頭上的帽子啊，每樣都想試試……

「這樣好了，我試穿這件很快就好……妳先去咖啡廳坐！」方妍華想出了兩全其美的法子，誰也不必等誰，「我要喝拿鐵，妳先幫我點好，我試穿完就過去。」

「吼……」劉品娜轉了轉眼珠子思考幾秒，這樣的確最省事，「好吧，妳要快喔！不要每件都穿！就這件，買完就過來！」

「還是小娜最瞭解我！」方妍華一臉認真的掛保證，「妳放心！」

劉品娜搖搖頭，主動接過她手上一大堆的東西，「給我啦，我還拿得了，我先去咖啡廳囉！要、快！」

方妍華笑著，開心的進入服飾店。

而劉品娜扭頭回身往巷口走去，提著一大堆東西，直衝近在咫尺的咖啡廳！

嗚，她要找位子坐、她要點咖啡跟蛋糕，再不坐下她的腳眞的要廢了！

好不容易進入咖啡廳裡找到舒適的座位，還拜託坐在隔壁的客人幫她看一下戰利品們，這才能輕鬆的到櫃檯去點上兩杯拿鐵、兩塊看上去誘人的水果蛋糕。

只是當咖啡都冷掉時，對面的座位仍然是空著的。

「搞什麼啊……」劉品娜不安的看著手機，妍華眞的大敗家嗎？一件件試穿？

妍華長得可愛，皮膚又白，穿什麼顏色都嘛適合，所以每次買衣服都會買一大堆，加上好不容易高中畢業後不必再穿制服，她像是想把大學要穿的衣服一口氣買完似的！

但是未免也太久了吧？劉品娜看著錶，即將到集合時間，國外漫遊超級貴，她可不想花錢打電話……走吧！她一向是實踐派，剩下的食物請店員打包後，再度拎著一大堆戰利品，匆匆的往服飾店去。

「歡迎！」剛剛那位美女櫃姐笑著看向她。

「呃……妳好！請問我朋友還在裡面嗎？」劉品娜用著拙劣的英文說著，反正單字對就好了，他們讀得懂意思的。

「妳朋友？」美女櫃姐有些困惑！

「是啊，剛剛那個穿紅色外套的女生？她進來試穿門口那件粉紅色的毛衣！」她邊說邊指向門外，卻赫見那件粉紅色毛衣依然吊掛在那兒。

咦？劉品娜認眞的往外看，妍華不是很喜歡嗎？居然沒買？

「對不起，我不知道妳在說什麼。」美女櫃姐笑望著她，「我們店裡現在只有一個客人……」

餘音未落，試衣間的門打開了。

走出的是陌生人，一個棕髮的妙齡女郎，根本不是方妍華。

「我朋友什麼時候走的？」劉品娜突然有點不悅，妍華爲什麼放她鴿子？

「我不知道哪個是妳朋友啊！」櫃姐相當不解，進入有點雞同鴨講的狀況。

「就——」劉品娜索性拿出手機，幸好她們今天有拍照，「ＯＫ，就是這個女生，她想試穿門外那件粉紅色毛衣，我就是剛在門口跟她一起的女生啊！」

櫃姐認眞的湊上前看著手機，再看看劉品娜，眉頭皺起，「我沒印象看過她……也沒看過妳啊！」

什麼？劉品娜呆晌在原地，這叫睜著眼睛說瞎話吧！

「剛剛我——」她索性走出店外，走下那階高台，「我剛就站在這裡，我朋友拿著這件衣服說要試穿，然後我先離開，她走進店裡試穿，而妳就站在這個位子啊！」

「No！我從來沒看過妳啊！」櫃姐瞪大那雙藍色眼睛，「現在才是我第一次看見妳，今天也沒有任何人來試穿那件衣服啊！」

到底在說什麼啊!?劉品娜突然覺得有股不安感湧上，她二話不說再度衝進店裡，裡面另一位櫃姐立刻出聲制止，但她不顧一切的到了那三間試衣間前，一間一間的開啓——沒有人。

「妳是不是記錯了呢？不對的巷子不對的店？」另一個較成熟的櫃姐憂心的上前，「我們眞的沒有見過妳朋友或是妳啊！」

她不可能記錯，這間店的風格如此特殊，距離咖啡廳也才五十步距離，哪有可能搞錯？那件粉紅色毛衣甚至還掛在架子上，櫥窗裡模特兒身上的風衣依然是她喜歡的那一件，還有頭上那頂灰色帽子……一切都跟一小時前一模一樣！

唯一不一樣的是……妍華人呢？明明她們就曾站在這店外，爲什麼這些櫃姐說從未看過她們？

只是試穿件衣服，怎麼會發生這麼離譜的事！

方妍華，妳這玩笑也開得太大了吧！

第一章 會說話的雕像

周末假日，輕軌站人滿爲患，尤其進入市區之後，幾乎擠得水洩不通；毛穎德一行人好不容易才擠出車廂，結果連出站都費了一番氣力。

「我的天哪！人也太多了吧！」夏玄允在殺出重圍後忍不住哀嚎，「就說了假日不能往市區跑！」

「問題是不是假日誰有空啊！」郭岳洋倒是輕鬆看待，笑吟吟的，「不過人潮是比我想像的多啦，應該是最近很多展覽的緣故。」

高人一等的毛穎德四處張望，沒看到要會合的人，想著輕軌站附近人多成這樣，正常人應該也不會站在這兒等。

「我打電話給馮千靜。」他說著，一邊想試著往僻靜處走去。

星期六，他們難得一起出遊，主因是因爲林詩倪留意到市區有個很夯的主題鬼屋，最近討論度異常的高，聽說整棟樓都設計成鬼屋，像是逃脫、又像解謎，但事實上還是驚悚指數破表的鬼屋。

酷愛奇聞軼事的夏玄允一聽見就興奮莫名，同掛的郭岳洋自然也舉雙手贊成，不是很喜歡被嚇的毛穎德雖不樂意但還是很勉強的答應一同前來……雖說鬼屋是一種娛樂，內部都是營造出來的假道具假屍體假鬼怪，但、是，他還是覺得那是集陰之地！

把氛圍弄得如此可怕，陰暗漆黑，這樣子發展出的磁場本來就不會是正向的，如此一來，便容易吸引眞正的阿飄兄弟姊妹們。

當然，這種話他不會說破，因爲打死都不能讓夏玄允知道——他有一點點一點點的敏感體質，雖並不到陰陽眼那麼敏銳，不過對於極度不祥的事物會有感應，也可以說成第六感強。

夏玄允跟郭岳洋在後面吱吱喳喳的在討論想先買冰吃，今日突然太陽變得很大，被曬得有些躁熱，兩個人一身潮服加上細皮嫩肉的漂亮臉龐、圓圓大眼、看似可愛的笑容，果然沒一分鐘，毛穎德就感覺到視線往他身後聚焦。

蹙眉回首，夏玄允正對著走過去的一群女孩子露出燦爛微笑，還揮手打招呼咧！

「喂！認識的啊？」他沒好氣的問。

「嗯？沒有啊，她們在拍我，我當然要笑一下囉！」夏玄允還一副理所當然，再擺了新POSE。

唉，眞是夠了！毛穎德逕自撥開人潮往就近商家的走廊下去，電話有通沒人接，怕是周邊太吵了馮千靜沒聽見，他先傳LINE後，再撥一次。

他跟夏玄允是從小一起長大的，夏玄允暱稱夏天，家境富裕，爲人倒是沒太多貴氣，長得活脫脫像二次元走出來的萌少年，這類型現在不知道爲什麼超受歡迎；而郭岳洋是夏玄允的國中同學，志趣相投，大學意外重逢，當然又是哥倆好，而偏偏郭岳洋雖沒有夏天長得漂亮，但卻也有張嫩臉，同樣的受歡迎。

讓毛穎德最受不了的就是他們的「志趣相投」，對於無法解釋的事情特別熱衷，舉凡靈異事件、外星人入侵，或是鄉野趣談全部都喜歡，尤其對「都市傳說」格外狂熱。

甚至在大學裡成立了「都市傳說社」，身爲一起長大、又住在一起的室友，他理所當然是社員之一。

原本以爲夏玄允只是創立好玩有趣的社團，卻眞的接二連三遇上都市傳說事件，這點挺令毛穎德頭疼的，讓好好的大學生活弄得傷痕累累不說，還常常是九死一生的情況……畢竟，唯有歷經過的人才知道，都市傳說是眞正可怕的存在。

沒有來源、沒有理由、沒有邏輯，一旦遇上幾乎是無路可逃。

「喂！聯絡上了！」毛穎德突然向外頭正在跟陌生女孩合照外加留電話的夏玄允喊著，「走了！」

「啊啊……好！」郭岳洋趕忙跟女孩子們雙手合十的說，「謝謝大家喔！謝謝……」然後拉著夏玄允朝毛穎德跑去。

不等他們靠近，毛穎德邁開步伐就走，眞給夏天太多時間，他就會在那邊繼續慢慢聊，畢竟骨子裡還是天之驕子，很喜歡被注視的感覺。

他們跟另一個室友約在外頭，因爲另一位室友昨天返家，沒跟他們一塊兒從住處出來。

馮千靜，除了也是「都市傳說社」的社員外，更是他們三位的室友，夏天家裡買了一層樓給他，四間房間，恰好就他們三男加一女，住得相當舒適；至於女生一個人會不會危險？認眞說每天晚上在慘叫的都是夏天他們，應該是不會有危險的狀態產生。

「這裡！」遠遠的，終於在鬼屋那棟樓的入口處看見了揮手的馮千靜。

照樣是一頭獅子頭蓬亂髮、戴著黑粗框眼鏡、寬鬆的羽絨外套、運動休閒褲，完全將她健美的身材跟其實精緻的臉蛋完全遮掩。

平常在校就是這副模樣，只是今天居然連口罩都戴上了，感覺是因爲來到人潮眾多的地方，會下意識的啓動防備機制。

「好慢。」她小小聲的抱怨，「半小時！」

「不是我的問題。」毛穎德大姆指直接向後，「那兩個不知道試穿幾百套衣服了！」

什麼！馮千靜忍不住朝後看去，兩個引人側目的男孩正眉開眼笑的朝她走來，看看那身打扮，還戴帽子？這兩個是出來幹嘛的啊？

「你們是要約會嗎？盛裝啊？」她忍不住從頭到腳打量一次。

「嘿，這裡是最時尚的地方，當然不能打扮得太隨便啊！」夏玄允說得相當認眞，「新涉谷區耶，聽這名字就知道要潮！」

潮你個頭！這句話馮千靜沒有唸出來，因爲她身後奔來了一個人。

「嗨！」女孩子揮揮手，「大家好。」

咦？三個男孩正在留意到還有一個人，女孩一頭酒紅色的長髮，太陽穴邊夾了一個單顆水鑽小髮夾，細眉單眼皮，長得算是清秀。

「妳好。」毛穎德立刻看向馮千靜，她沒說會帶朋友來啊，「這位是？」

「剛好遇到，B班的。」馮千靜眼神帶著不耐煩，看來她也不是很想跟同學撞見。

畢竟跟毛穎德他們出來玩是很輕鬆的，大家住在一個屋簷下已經很熟，她不必僞裝太多，可以用那大喇喇的口吻、無畏的個性說話；但是在學校裡的馮千靜，是個內向、嬌羞，動不動就低垂著頭的內向女孩。

「哈囉，我叫雷小璐。」雷小璐大方的自我介紹，「我們一票人也來玩鬼屋，剛好在樓下看見馮千靜，我還嚇一跳呢！沒想到她這麼內向居然會想來體驗！」

內……向……夏玄允乾笑著，下意識撫著他的右手臂，昨天晚上才被小靜扭到快斷了，嗚——好「內向」喔。

馮千靜趕緊朝毛穎德使眼色，他立刻微笑以對，「是我們硬盧她來的，好不容易有空，而且好多人在討論這個鬼屋呢！」

「哦……難怪！」雷小璐歪了頭，「我聽馮千靜說你們是室友啊？」

她用詫異的眼神看著三個男生，馮千靜平常在班上超不起眼的，現在也是一副害怕害羞的模樣，結果她的室友也太好看了吧！這個在說話的雖然不是花美男可是看上去具有個性，後面瞅著她笑的兩個男生，活像高中生一樣，清秀又可愛！

「嗯，住在一起……家庭式的啦！」毛穎德敷衍的解釋，「啊你們的預約票是幾點的啊？」

對對對，問得好！馮千靜低著頭在心中暗唸，她跟雷小璐一點都不熟，B班的也只有在共同科才遇得到，怎麼偏偏就記得她呢？

「我們是兩點的。」雷小璐揚手上的票，這間鬼屋夯到得預約時間才能進場呢。

兩點……馮千靜忍不住暗暗咕噥，居然同場次喔！

「喂，時間快到了！」雷小璐的朋友們在後頭喊著，其實有兩個男生也是法文系的，只是全是隔壁班，一點兒都不熟。

「好！」雷小璐看向馮千靜，「我的場次快到了，我先上去了喔！」

「嗯。」馮千靜微微頷首，整張臉只剩下眼睛瞧得見而已。

雷小璐旋身趕緊加入朋友們，愉快的進入該大樓的電梯裡。眼見那票人身影消失，馮千靜才稍稍鬆一口氣。

「天哪！」她有些為難，「我們也是兩點對吧？」

「嗯，就晚一點再上去，說不定就不會一起走了。」毛穎德也很為她擔心，「要不然我怕妳在裡面會破功。」

「破什麼功？」她挑了挑眉，「這是鬼屋，不是要體驗那種氛圍的嗎？」

「對呀對呀！」夏玄允突然湊上前，「小靜，鬼屋的規定不可以動手打鬼的喔！」

她嘖了一聲，「知道！」

這只是遊戲，鬼屋只是人設計的，裡頭嚇人的傢伙也都是假的，她當然會好生克制！只是有一點，那些嚇人的工作人員，千萬、千萬不能觸碰到她，否則她擔心身體的直覺反應，會一個過肩摔把對方摔出去。

「那個同學跟小靜不熟厚？」郭岳洋笑咪咪的問，「我看妳不是很想跟她講話。」

「隔壁班的怎麼熟！就幾個大堂課見過而已，我都不知道她怎麼認得我。」馮千靜搔了搔頭，「算了！等等應該不會有太多交集了吧？」

萬一有的話，也只好裝到底了。

絕對不能讓人知道，法文系那個邋遢、內向、害羞又不修邊幅的馮千靜，正是女子格鬥競技賽冠軍、天使臉孔魔鬼身材的「小靜」！

一點五十分，馮千靜他們也持票坐電梯上了三樓，鬼屋承辦單位租了這棟樓的三、四、五樓，整整三層樓的大場地，聽說裡面佈置成十八世紀的西式房子，數不清的房間，昏暗且滿是血跡的地板與牆面，訴說著一段駭人的故事。

這麼大手筆又大規模，才引起馮千靜的興趣。

入口處在三樓，一出電梯就可以看見大大的「黑暗莊園」四個字，現場倒是相當熱鬧，一點詭譎氣氛也沒有；這兒的工作人員都是年輕的俊男美女，相當有活力，引導著大家。

黑暗莊園
驚奇鬼屋
暗莊園
黑暗莊園
黑暗莊園
黑暗莊園
驚奇鬼屋
售票

在驗票之後就有人指引，一個場次時間會放五十個人進去，驗票後大家都集中在入口的一片空地上，雷小璐瞧見馮千靜時又揮手笑笑，她也僅頷首示意，然後趕緊轉過身，背對了他們。

「歡迎大家來參加我們驚奇鬼屋！」前頭站了個小鮮肉等級的帥男孩，「等等進去時請大家注意守則：第一，不能攻擊工作人員；第二，不能飲食；第三，絕對不能拍照或攝影。」

所有人此時下意識的把手機拿起來，順便關上震動，在裡面應該也沒太多時間接電話吧？

「再來，剛剛進場時每個人的手上都繫了一個手環，請大家依照顏色集合起來——」工作人員語出驚人，高舉起手，「從我的左手邊開始，分別是紅、黃、綠、藍！」

「咦？」等候參加的人莫不驚呼出聲，「喂！要把我們拆開嗎？」

「是的！一起玩就沒意思了啊，跟不同的人一起探險才有趣嘛！」帥哥笑得挺得意的，「來來，請依照顏色排隊！」

這……夏玄允立刻看向右手，他在驗票時被繫上的是紅色的手環，仔細瞧其他人，郭岳洋是藍色、毛穎德是綠色、馮千靜是黃色——就這樣剛好，四個顏色四個人，他們竟徹底被分開了！

「有沒有搞錯？」馮千靜緊皺起眉，她沒有想要分開玩啊！

「冷靜。」毛穎德只能這樣說，拍拍她的肩，「遊戲嘛！」

厚！她不耐煩的嘖了聲，回身朝著該集合之處前進，才走兩步就看見站在黃區的雷小璐，這下好了，原本想避開的卻又湊在一起了。

「馮千靜！」她還一臉驚喜，「好棒喔，我們好幾個都在一起！」

馮千靜眞慶幸自己戴著口罩，絕對看不出她的表情，往雷小璐身後一看，果然還有一個男生也還在同隊。

「A班的喔？」染著綠色頭髮的男生說著，「沒印象耶……」

「你又沒來上課，最好會有印象！」隔壁排理平頭的男生唸著，「嘿，我也是B班的，我是蔡孟宏，他是李彥樺。」

「我是馮千靜。」不管是誰她都沒印象。

「我是何芳眞！」再隔壁排另一個女生留著肩上短髮，黑髮毫無燙染，「我是大傳的！」

大傳？馮千靜眨了眨眼，原來大家交遊都很廣闊啊，不像她，一有時間就窩回宿舍，不然就是要去練習，沒辦法，她的職業就是格鬥競技啊！學生只是副業而已。

「居然被拆開了，討厭！」何芳眞顯得不太高興，「原本以爲大家會在一起的，聲勢浩大！」

「這樣子也算啦，一組也有十幾個人！」李彥樺倒覺得這樣挺有意思的，「妳看那邊有對小情人被拆開多可憐。」

「嘻……」大家果然竊笑起來，馮千靜回首張望，她也覺得自己很可憐啊，嗚！

「好了，我們總共分成四組，每一組會從不同的入口進去。」此話一出，現場又是一陣驚叫，「總共有三層樓，都有路標，每一層樓的客廳桌上都有電話，想放棄的人可以直接打電話通知管家，管家會去接你。」

場內一片竊竊私語，大家不由得有些心慌，原本還以爲五十個人一起進出，瞬間不僅一起來的人被分開，接著又分成四批進入……馮千靜倒是不害怕，只是覺得煩躁，因爲身邊都是同學，她得演一個內向害羞的女孩演到底。

瞥向隔壁區的毛穎德，他臉色也很難看，緊皺著眉瞪著入口，手指不停的互絞。

怎麼回事？馮千靜順著他的眼神往前方看過去，該不會裡面有什麼吧？她知道毛穎德有點小感應，那種臉色就是——他們是不是應該要閃人啊？

「黃組出發！」驀地一陣哨音，馮千靜尚且來不及反應，就被人勾住手，直接往前帶了！

等等！她不可思議的看著右邊的雷小璐，她們有很熟嗎？是可以這樣說勾就勾的嗎？

馮千靜被勾著往黑暗的入口裡走去，通道不長，只是前端有扇門，門一開啓，立刻就看見歐風陳設的客廳；大家魚貫進入，這兒並非昏暗無燈，反而光線明亮，只是有的燈在閃爍，有的燈呈現一種灰白色。

右手被人緊緊勾住的馮千靜實在不太舒服，直想掙脫。

「那個……可以不要握著嗎？」她終於出聲，「我不太習慣。」

「咦？」雷小璐怔了幾秒，緩緩鬆開手，「對不起喔，我想說這樣比較不會怕……」

馮千靜沒有答腔，只是輕輕點點頭，然後開始看著這周遭的場景，空氣中有股很濃的漂白水味道，這明明又不是醫院，爲什麼會有這麼重的氣味？

黃組十幾個人一開始還湊在一起，接著有人想往樓上走，有人還想在這一樓探索，所以人數漸漸分開，沒有幾秒後，突然樓上先發出尖叫聲，所有人還在驚愣之際，身邊的燈光竟全數驟暗，一時之間尖叫聲此起彼落，幾乎在幾秒內大家就東奔西跑、瞬間分散了。

馮千靜選擇原地蹲下，不動聲色的先等大家跑光，一邊適應黑暗，接著選擇自己想走的路。

她還不想上樓探險，選擇往這層樓偏僻處的長廊步去。

大部分的人都沒往這兒跑，因爲這長廊上晦暗，兩旁均有緊閉的房門，傻子都知道一定有些什麼在這兒。

馮千靜緩緩的踏上走廊，一邊留意著該不會地毯上也有什麼機關吧？

走廊上除了兩邊都有房間外，間有一些半身雕像，馮千靜總覺得那些雕像有問題，腦子裡甚至存了反過來嚇他們的念頭。

最先接近的雕像是半身像，馮千靜的重點完全放在下方的木頭裡，由於半身像只有胸部以上嵌在台座裡，她覺得需要注意的是台座裡是否會突然衝出什麼，或是有一隻手倏地從裡頭伸出來抓住她。

小心翼翼走著，一雙眼盯著那台座，直到經過時，都沒有任何動靜。

氣氛在累積，屏氣凝神，左邊即將經過第一道門，留意著門縫下是否有影子之際，頭頂上的燈突然開始閃爍，啪噠啪噠……馮千靜抬首，知道機關大概快啓動了。

她繼續往前走，走廊盡頭的左邊有個箭頭，表示那邊還有通道，她好歹得走到——咿！

身後的門開啓了，她豎直背脊，緩緩回過身子。

沒有人，但是門開了，緊接著她聽見腳步聲又從後方傳來，原來是聲東擊西啊！立刻正首，果然兩旁的每道門都開啓了，裡面搖搖晃晃的走出許多化妝化得駭人的鬼，伸長雙手朝著她逼近。

彷彿見馮千靜沒有驚叫沒逃走有點遺憾似的，他們開始發出怪異的叫聲。

「借過。」她開始遲疑了，眼前少說有五個鬼，他們擋住了去路啊，「我想到前面的走廊去。」

「吼——」帶頭的男鬼突然速度加快，二話不說就往她奔來了。

咦咦？不是說不可以碰觸工作人員嗎？問題是她如果不退的話，那傢伙就要衝過來了啊！

馮千靜快速的後退著，五個鬼用詭異的方式朝她奔來，速度雖有減緩，但很明顯的就是想逼她……逼她去哪啊!?馮千靜邊後退邊查看，難道希望她躲進哪間房間裡嗎？

間。

她又不是傻子！

咚！馮千靜撞上了剛剛那雕像的台座，嚇得回首，翹起右腳撫著腳跟。

「哎唷！」她吃疼的唉著，扶著台座看向節節逼近的鬼，還有近在咫尺的房

「我是不會進去的！」她索性左手一抬，就靠著雕像的肩頭，「你們——」

咦!?馮千靜突然瞪大雙眼，這是什麼?她不安的往左邊看去，望著那白色的半身雕像，爲什麼……爲什麼她架上去的觸感是軟的？

雕像彷彿感受到她察覺到了，開始緩緩的……慢慢的轉過頭來，用一種淒楚的眼神望著她。

「喝！」馮千靜連忙收手，這雕像是人扮的？

「吼啊！」尚未反應，後頭追上的鬼突然大吼一聲，蜂湧而至，馮千靜直覺性的就是往後滑退——這麼一滑，就給滑進了第一間房間裡。

連想都不用想，她一進去，房門碰的就關上了。

「喂——」她一躍而起，不客氣的敲門，「開門啊搞什麼！」

使勁想扭開門，門居然上鎖了！這遊戲玩得也太較眞了吧?馮千靜使勁扯了幾次未果，又不想眞的踹壞人家的道具，只能提高警覺立即轉身，背靠著門，好

好端詳這間房間。

這麼認眞的逼她進來，裡面一定也有嚇人的東西。

房間看起來是女孩子的房間，蕾絲紗帳還有柔軟大床，櫃子、架子、書桌，一應都是中古世紀的風格，不得不說這間鬼屋耗費的成本也不少，即使不是古董，製作這些道具勢必所費不貲。

有別於外頭的昏暗，這間房間是透亮的，亮到很不眞實，彷彿對著門那一排窗外都是正午時分的透亮；梭巡了一遍，馮千靜推測出床底跟左手邊門後的衣櫃裡可能會有東西跑出來，所以她決定避開它們，離遠一點走。

因爲她注意到了，房間對面的右邊角落有另一扇小門，小門上也有個箭頭，表示也是可行之處。

決定速戰速決的馮千靜，立刻離開門邊，繞過床舖，直直的就要往那小門去的瞬間，突然意識到有個人影——迅速回首，才發現這個角度可看向那蕾絲帳床，而床上有人！

她是眞的嚇到了，只是沒有如期的尖叫，她瞪圓雙眼看著坐在床上的影子，居然毫無動靜，她原本以爲對方會衝出來的。

不過光是這樣坐在床上也夠嚇人的了！因爲進房門那個角度是看不見她的，

被床簾遮住，根本是故意的。

她不想探究，馮千靜決定不理睬的繼續往前走，就這時候，蕾絲帳簾竟自動捲起。

沙沙，簾子捲動，馮千靜眞的忍不住回首，看見坐在床上的女孩極其……她皺起眉頭，她眞不知道該說什麼，那是女孩嗎？還是具骨骸？

她看見的是個被皮膚包裹的人骨，穿著過度寬鬆的衣服坐在床上，因爲臉頰與眼窩凹陷，而顯得異常凸出的雙眼瞅著她，雙手垂放在自己的膝上。

下一秒，她的雙手突然高高舉起，床頭的音樂盒傳來了天鵝湖的音樂！

那骨女跟傀儡娃娃一樣，骨感的雙手在空中無力的舞動著，馮千靜瞪大雙眼看著她手腕上的緞帶，彷彿像是有人在操控她似的！這畫面根本是噁心吧？還沒思考完畢，「傀儡女孩」突然間下了床，她的腰間、雙腳、連頸子到處都繫有緞帶，用詭異的跳舞姿態，朝著她跳過來了。

「站住！」馮千靜緊張的大喊，「我說眞的喔，我……」

音樂未止，跳舞的女孩眞的像娃娃般，手足舞蹈的朝她跳過來，腳上穿著舞鞋，踏在木板地喀喀作響。

馮千靜幾乎沒有猶豫，扭身就往那小門衝了去。

經過那道門，卻進入更加詭異的房間，這屋裡只靠一支蠟燭照明，滿牆滿室的畫作，還有更多的雕像。

馮千靜連一刻都不想久留，她直接朝著正前方那走去，掀開透明紗簾，迎接她的是更長窄的走廊，還有倒吊在上頭的一堆屍體。

『嗚嗚……』

『嘎呀——』

叫聲從天花板那些屍體傳來，有的下半身像是撕裂，還逼真的滴著血，也有只是低垂著頭，還有死不瞑目的，當然一定會有幾具屍體不停晃動，嘔啞嘈雜叫喊著、揮舞著雙手企圖摸到參觀者。

天花板偏偏很低，馮千靜得伏著身子走，才不會被那些手跟腳給抓到……還得閃過滴下的血。

她不耐煩的蹲低身子，這裡是刻意製造狹窄空間的壓迫感，走廊已經夠窄了，左手邊還又擺放了一排半身雕像……等等，剛剛那走廊上雕像是真的，這邊該不會也是吧？

如果在閃躲上頭吊掛的屍體同時，基座有東西衝出來，她可是會生氣的喔！

「請等等。」驀地，一個詭異的聲音從她左後方傳來，「我是巴黎人，我叫

Léo，可以請妳幫我報警嗎？」

什麼？馮千靜不敢置信的回頭，看著離她約有一公尺遠的一個半身雕像用法文在說話。

「妳聽得懂嗎？」那雕像用斜眼瞟著她，「拜託！我是被抓來的，我住在第四區，請幫我報警！」

這個也太逼眞了吧？馮千靜猶豫著要不要回答他，冷不防的上面突然發出了巨大聲響——『呀——』

她立即抬頭，看見有個東西居然筆直掉下來，運動神經發達的她即刻閃避，向後大跳一步，看見掉下來一團血肉模糊的東西！

沒有心情尖叫，她看著地板那團肉塊，這一跳讓她回到雕像面前了，她看著依然正視前方的雕像，現在他的眼睛倒是沒有瞟她了，剛剛那一切究竟是？

咚……馮千靜突然腳一軟，腳下的地板居然在晃動，她倉皇的左顧右盼，發現這條窄廊彷彿發生地震，開始劇烈的左右搖擺，連同上頭的屍體一起搖晃著，尤其滴血的那具，血根本在亂滴！

「別碰我啊！」她趕緊伏低身子，差一點就被吊掛著的某雙手抓到了。

急忙的往前衝，最尾端是厚重的深紅布幔，她已經決定了，等等要找最快的捷徑離開——一把揭開布幔，咻碰的五彩紙花突然聲聲響起。

「恭喜！」一群工作人員朝著她拉放禮炮，「妳是第一名！」

「啊？」馮千靜皺眉，彩花掉在她髮上。

定神一瞧，她居然在出口了！

「超快的，妳居然走最快的路！」有人高聲報時，「只花了三分鐘呢！」

她不明所以的哦了聲，突然閃光燈一亮，有人朝著她拍即可拍，幸好她全身包得密不透風，不至於有人認出她來。

緊接著高大的帥哥獻上一大包禮物，這是冠軍才有的殊榮。

馮千靜就這樣在一旁的休息區喝著可樂、抱著禮物，但滿腦子都盈繞著那雕像所說的話：「我是巴黎人，我叫Léo，我住在第四區。」

那個雕像……沒有手啊！是個健壯的男人但是沒有手臂，他說他是被抓來的？那是怎麼回事？

「第一名好厲害喔！妳居然都不怕，選了最可怕的路耶！」一個正妹突然湊了過來，「剛剛過程中有沒有什麼奇怪的地方呢？」

嗯？馮千靜望著那笑容可掬的女孩，應該要有什麼奇怪的地方嗎？

她搖搖頭，「沒有……就很可怕而已。」

「都沒有嗎？」女孩子維持笑顏，「有沒有聽到什麼不太對勁的……聲音？」

「慘叫聲嗎？」馮千靜乾笑。

「那個是效果啦，不算不對勁的聲音……」女孩笑容角度幾乎都維持一樣，「走廊上的雕像有沒有嚇妳一跳？是人扮的喔！」

「哦……有，那個我有嚇到——啊！」馮千靜做出一個突然想到的動作，「剛剛還有個雕像在說話呢！」

「說什麼妳知道嗎？」女孩子親切的望著她。

太親切了，也問太多了，這讓馮千靜覺得這是她進鬼屋來最膽寒的一瞬間。

「聽不懂。」她直覺的這樣回答，連自己都不知道爲什麼要說謊，明明每個字她都懂的。

「呵……那是一種效果呢！」正妹朝她眨了眼，「我們在找聽得懂的人，那才能聽出可怕的精髓呢！」

「眞的？眞可惜。」馮千靜心不在焉，已經拿出手機了，代表一種她不想再繼續聊的動作。

正妹也很識趣，立刻對馮千靜讚美一番後，就繼續去忙她的了。

而再十分鐘後，才陸陸續續有人步出，只是出口似乎不只一個，不是每個都跟她一樣的出口。

然後，雷小璐步出了，跟她走同一條路出來。

她直到走出布幔後，還用一種困惑的神情頻頻回首，遠在十公尺外的馮千靜一眼便知。

她聽懂了。

那個報警的話語，不是只有對她一個人說的。

第二章 轉眼珠的假人

一場鬼屋歷險記後，兩票人意外的聚在了一起，全坐在速食店的桌上，一桌熱鬧非凡，另一桌氣氛格外沉重。

大家陸續從鬼屋出來之後，個個臉色發白，只有夏玄允跟郭岳洋是以興奮莫名的姿態出來的，而且超級依依不捨，直說想再試試從不同出口走走看，還沒逛透三層樓的建築，怎麼莫名其妙便走到出口了。

一行人相當沉重，看來被嚇得不輕，蔡孟宏是最後逃出來的，剛好跟夏玄允他們一道兒，陰錯陽差的大家又湊在一起，熱情的郭岳洋完全不會看臉色的就提議去找地方吃午餐，所以湊成了兩桌。

有別於夏玄允跟郭岳洋滔滔不絕的討論裡面的機關、嚇人的橋段，還有那些擺設多精緻多講究外，其他人幾乎都是沉默不語的。

包括毛穎德。

「那個從櫃子突然跳出來的屍體是假的！做得好像眞的喔！」夏玄允一直處於亢奮狀態，「它的臉還碰到我耶！」

「我沒有遇到那個耶，我碰到的是從樓梯下突然伸手要抓我的殭屍們，還有一堆東西從天花板掉下來！」郭岳洋一臉惋惜，旋即又亮起雙眸，「不過我有遇到假鏡子，突然有鬼從鏡子裡衝出來，你有遇到嗎？」

「什麼！」夏玄允用力握拳，「我們再去一次好了！一定是別人遇到了，把叩達用完了！毛毛——」

他原本是想拉著毛穎德一起去，卻發現他默默的喝著可樂，從出來後就不發一語。

夏玄允錯愕的看著盯著桌面的他，再看著他身邊的馮千靜，戴著口罩看不到表情，但是為什麼同樣是一臉失魂落魄的模樣？郭岳洋眼神掃向隔壁桌，隔壁桌四個人更誇張了，臉色蒼白不論，還有人失神似的。

「哈囉？」郭岳洋試探性的叫喚，「大家這是怎麼了？有這麼可怕嗎？」

兩個男孩抬頭，用力肯定的點頭，異口同聲說，「快嚇死我了！」

「會嗎？」夏玄允無法理解，「那都是假的啊！」

「知道歸知道，但是遇到還是很可怕啊！像我就遇到你說鏡子衝出來那個！」蔡孟宏還撫著胸脯，「他衝出來時我嚇到都跌倒了，爬都爬不起來！」

「我遇到的更慘，我在五樓時以為快到出口了，結果旁邊的畫突然竄出手把我抓住，硬把我扣在牆上……」李彥樺雙手掩面，「天哪！我發出了我這輩子最丟臉的叫聲。」

「我……」何芳眞咬著唇，「我是打電話求救的，我嚇到不行，在客廳裡本來好端端的，沙發下突然有手鑽出來，我尖叫著就衝去打電話了！」

郭岳洋只是輕輕笑著，「這樣才有意思嘛！」

「對呀對呀，我也會嚇到啊！」夏玄允連忙貼心幫腔，「只是知道是假的也就不會那麼怕了！」

說得輕鬆啊，誰都知道是假的，但那時的恐懼還是難以忘懷。

馮千靜嘆了口氣，她滿腦子想的都是那個說法文的半身雕像，還有骨瘦如柴的傀儡娃娃，因爲認眞回想起來，那個好像也是眞人。

如果是眞人的話，她就會覺得毛骨悚然，因爲那個傀儡娃娃眞的就是薄薄的皮膚包裹著人骨，連女生骨盆的形狀都清晰可見，那模樣她只在厭食症患者的照片中看過。

如果是演員，不可能化妝成這麼瘦，因爲那是天生的體型……難道是有厭食症患者去那鬼屋打工嗎？

「裡面最嚇人的不是那些裝神弄鬼的東西吧？」毛穎德終於開口了。

「嗯？」夏玄允一怔，這是什麼意思？「毛毛你遇到什麼更可怕的嗎？」

馮千靜悄悄的在桌下踢了他一下，就算有感應到什麼阿飄好兄弟的也千～萬不能表現出來啊！萬一夏天窮追不捨的問，他該怎麼圓？

「欸，你們有人從一條細窄長廊，一邊有雕像，天花板吊掛屍體那條路出來的嗎？」雷小璐宛如救火隊，插進一句話，「就是深紅布幔那個出口。」

她會這樣說，是因爲其他出口都是實質的門，只有那個出口是布。

「我我我！」蔡孟宏連忙舉手，「嚇死人了，最後那段走廊有夠小的，天花板的屍體離我好近，旁邊的雕像居然還是人扮的！」

雷小璐突然緊張的直起身子，「雕像是人扮的，你有聽見他說什麼嗎？」

「有啊，他一說話我就快嚇死了！」蔡孟宏一臉心有餘悸，「但是聽不懂他在說什麼啊……嚇死人了誰有心情聽啊！」

雷小璐皺著眉沉下眼色，「是……是法語。」

蔡孟宏不禁尷尬，都是同學居然聽不懂！

馮千靜悄悄瞄著雷小璐，她沒說出自己也是從同一個出口出來，只是不想跟她太有共鳴，不知道爲什麼，那個正妹工作人員給她的感覺好像、好像知道了會帶來麻煩似的。

「怎麼了嗎？」毛穎德主動問了。

「啊……也沒有，因爲那個雕像說了很奇怪的話！」雷小璐有點爲難，「我也不知道是遊戲的一部分還是怎樣，但心裡就是過不去。」

「說了什麼？」右手邊的郭岳洋雙眼發光的問。

她往右看去，只瞧見兩雙熠熠有光的眸子，郭岳洋跟夏玄允極度期待的神情，好像巴不得她能說出一些「特別」的經歷。

「唉，那個人說的是法語，說了他的名字，要我報警救他……說他是被綁來之類的。」她嘆了口氣，「我出來後跟工作人員說了，他們跟我說一切都是效果，問我有沒有被嚇到！」

「要妳報警？」夏玄允倒覺得奇怪，「這算什麼效果啊！鬼屋應該是那種我要妳的命！」

「救他出去也是啊！」郭岳洋認真的回應，「但扯到報警是有點詭異。」

馮千靜忍不住盯著她瞧，「妳……跟工作人員說了？」

「嗯！這太奇怪了，現在雖然他們說只是效果，我心裡就是覺得哪裡怪怪的！」雷小璐對自己的困擾也很不耐煩，「現在我滿腦子都是那個男生說的話，煩死了！」

「只是巧合吧，這樣才逼眞啊……這種公開的娛樂場所，眞有綁架事件也太冒險了吧！」李彥樺持不同看法，「想想那個雕像這麼一說，有人萬一眞報警還得了！」

「對啊，妳陷太深了啦！」何芳眞拍拍她，「像孟宏也從那邊出來，他聽不懂就沒感覺啊！」

「說得是，就是等聽得懂的人聽起來才可怕！」郭岳洋哦了聲，彷彿很瞭似的。

「唉，就是！」雷小璐甩甩頭，要自己振作，「不想了，欸，我聽說第一個出來的是馮千靜耶！」

「噢噢！」所有人目光頓時集中在馮千靜身上，她愣了一下，立刻低垂下頭。

「只是巧、巧合，剛好走到捷徑。」這聲如蚊蚋，眼瞧著肩膀都瑟縮起來了。

「捷徑有嚇人的東西嗎？妳有沒有被嚇慘啊？」雷小璐還擔憂的問。

馮千靜眼鏡下的雙眼轉了轉，默默點點頭，「嚇人的不多，可是我就一直跑，莫名其妙選對了路就衝出來了。」

「哇……好幸運喔！」何芳眞由衷的說，「哪像我肉咖的直接打電話求救，嗚……」

「哈哈，我本來還以爲我們能會合耶！結果誰知道裡面超大的！」蔡孟宏科科的笑著，「李彥樺也很肉咖好不好，突然跳出一個鬼他居然就把我扔下跑了！」

「喂，說話憑良心啊，是我一回頭你就不見了好嗎！」

氣氛漸漸活絡起來，大家你一言我一語的，談論的仍是適才的鬼屋探險，唯毛穎德依然不喜說話，只是默默啃著薯條；夏玄允跟郭岳洋兩個人好像跟新同學很熟似的，話匣子一開就劈里啪啦個沒完。

當然，也沒放棄介紹「都市傳說社」的企圖。

「都市傳說社？」雷小璐倒是有點瞠目結舌，「馮千靜也是？」

馮千靜暗暗抽口氣，可惡的夏天！幹嘛扯她！

「是啊，小靜……馮同學也是我們的元老級社員喔！」郭岳洋還說得一臉得意。

「幽靈，我是幽靈社員。」馮千靜趕緊辯白，「一開始只是隨便簽簽，沒想到……」

李彥樺跟蔡孟宏兩個人竊竊私語著，然後互使著眼色看向夏玄允，「欸，我聽說學校之前發生幾個都市傳說，都你們社團解決的？」

「那些傳聞是真是假啊？」看起來很屌的李彥樺說起話來也怕怕的。

「這就是信者恆信了。」夏玄允微微一笑，「我們既然是都市傳說社，自然是深信不疑。」

哦……學校之前出過不少事，「都市傳說社」從不到十人的小社團，迅速進展到百餘人的大社團；從當初跟另兩個社團共處於一間教室的窘態，變成一間獨立的超大社辦。

這背後伴隨著是令人不快的都市傳說，而傳說興起之際，總是有傷亡或失蹤人口。

斜對面的兩個女生正在把剛剛的紙袋倒出來看，每個離開鬼屋的人都有一包壓驚袋，禮物各有不同，馮千靜的自然最豐盛，畢竟她是第一個離開鬼屋的人，只是她沒興趣開。

雷小璐她們一動作，大家也跟著好奇，裡面多半都是一些折價券、小文具，還有分享票。

「哇！麵包店七折耶，這間學校附近也有！」蔡孟宏驚呼。

「我是星巴克買一送一！這禮物不錯耶！」何芳眞笑開了顏。

雷小璐拿起一張名片大小的紙片望著，「價値……兩千元的禮券！」

「咦？」何芳眞立刻湊過去看，「眞的假的，兩千元……看看有沒有但書？」

夏玄允皺著眉看著自己的壓驚袋，怎麼沒有這麼好的獎品啦！

「眞的耶，等同於現金！」何芳眞仔細研究一輪，「只是不找零而已，可以在服飾店裡挑選兩千元的衣物！」

「也太好了吧！」李彥樺忍不住抱怨，「我怎麼就只是包膜九折券！」

何芳眞拿著咖啡折價券炫耀，「我買一送一都贏你！」

「嘖！機車！」李彥樺想搶下那張券，何芳眞吐了吐舌立刻收起。

蔡孟宏好奇的往夏玄允他們這桌看來，馮千靜跟毛穎德沒有想看壓驚袋的衝動，夏玄允跟郭岳洋的禮物也是乏善可陳，但都會有一兩張折價券，但無論如何都沒有雷小璐的威。

「你們兩個的呢？」蔡孟宏果然問了。

「回去再看吧，不想倒得亂七八糟。」毛穎德淡淡說著，「應該也沒什麼好物。」

「別這麼說嘛，搞不好有跟雷小璐一樣的啊！」何芳眞雙眼充滿期待，「尤其馮千靜是第一名大獎。」

馮千靜只是搖搖頭，「我是自己選的，我挑了一個午睡枕。」

兩千元的折價券，怎麼有這麼好的事？這比她冠軍能挑的東西都強，反倒讓她覺得奇怪。

「欸，這間店就在附近耶，異業合作嗎？」雷小璐仔細查看地址，「我覺得我這像是神祕大獎似的。」

「那我們等等去逛！」何芳眞興奮的提議，而且超級行動派，兩個人立刻在收拾東西！

對面的李彥樺跟蔡孟宏有點咕噥，「喂，不要逛太久喔，說好還要去別的地方的！」

「知道啦！難得就在附近，先把兩千元用掉吧！」雷小璐把東西全給收妥，徒手拿著那張券，「要不然還得特地再來一趟！」

馮千靜用手掌輕輕推了毛穎德一下，他即刻領會，要夏玄允他們收收，也該走了。

一行八個人很快的離開速食店，出了店門口往左是輕軌站，往右則是雷小璐她們要逛的服飾店，原本該在門口就分道揚鑣，不過在最後一刻，馮千靜突然改變心意。

「我想去看一下。」她小小聲的說，「想看一下是哪間服飾店如此大方！」

「好哇！」雷小璐倒是熱情，「一起去，萬一我買不到這麼多，我們還可以合買呢！」

一聽見合買，何芳眞心花都開了，勾著雷小璐的手，輕快的往右拐進巷子裡；毛穎德跟雷小璐借了禮券來看，禮券做得相當精美，粉紅色的硬卡紙，上頭凸紋寫著：「紫揚服飾店」。

不過店家沒在主要幹道上，是在主幹道的小巷中的岔路裡，還在個轉角區，而這區就是這樣，小路眾多，每個轉角都有潮店。

但是，卻沒有這般風格優雅的店。

「哇……」不管男女都站在店門口驚嘆，這完全是走精品模式的店面吧？裝潢看起來一件都要上千元，服裝款式也很特別，不但特殊而且好看，門口有一排衣架，上頭掛著特價衣服吸引往來路人的注意，竿上的每件衣服都各具特色。

雷小璐小心翼翼的拿起一件，居然才三九九！

「真的假的？」她詫異極了，再隨便找一件看，四百九！好便宜喔！

「這間店衣服很好看耶！」連郭岳洋都忍不住說了，「跟一般的衣服不太一樣。」

「也有男生的！」李彥樺指著櫥窗裡一男一女的模特兒，分別穿著新潮的男裝與女裝，「喂，雷小璐，妳會有叩達給我們嗎？」

只見雷小璐轉過頭，賊笑一抹，「嘿嘿……」

這種隨便一抓都是美衣的店，兩千元眼一眨就用完了，哪有可能給大家的份呢！

「好啦，本來就是小璐抽到的，我們幹嘛？」蔡孟宏趕緊出聲，「妳就速戰速決，那我們先去買咖啡好了。」

雷小璐壓根兒都沒在聽了，她光外頭的架上就拿了兩三件，準備往店裡去。

「有喜歡都可以試穿喔。」

門口冷不防站了店員，精緻五官，長得相當漂亮，穿著格子洋裝，男孩子們忍不住多看了兩眼。

「請問，這張禮券可以用嗎？」雷小璐出示禮券，店員接過端詳。

「哇，恭喜妳，可以用喔，等同現金！只是不找零！」店員笑吟吟的把禮券交還給她。

「謝謝！」雷小璐可開心了，回首拉過何芳眞，「芳眞陪我！馮千靜……」

「我沒有要買的東西。」她搖搖頭，「我只是來看看，而且店好小呢！擠不了太多人！」

是啊，店面很美，但店極小，裡面的走道根本只供一人通行，誰叫這黃金地段，寸土寸金哪。

「那我們先走了。」毛穎德即刻出聲，旋身回頭要走。

「掰！」蔡孟宏跟李彥樺說著，也要去找咖啡廳用掉那買一送一的券了。

馮千靜跟著毛穎德身後也要離開，倒是夏玄允跟郭岳洋卻望著那間店，一動也不動。

「喂！走了。」她不客氣的推著他們。

夏玄允好半晌才回神，「噢……好。」

郭岳洋也皺著眉，一臉困惑的模樣跟著離開。

一直到要走出這條巷口時，馮千靜忍不住再回頭瞥一眼，看起來很正常的服飾店，應該沒什麼問題吧？

蔡孟宏他們才走出巷口，何芳眞就收到了LINE。

「啊，雷小璐！」她起了身，對著在試穿的雷小璐喊著，「蔡孟宏他們忘記跟我拿券了啦！」

「嗄？那妳拿去給他們再回來好了！」裡面的雷小璐回應著。

「好！我去去就回……」她看向一旁的店員正妹，「請問我包包可以放在這裡嗎？」

店員露出一臉爲難，「對不起噢，我們不負保管責任啦，可以請您自己帶著嗎？」

何芳眞歪了頭，想想也是，她們要服務雷小璐已經夠忙了，瞧現在還忙著遞衣服給她呢！

「抱歉，我只是問問。」她笑了笑，「雷小璐，我出去囉！」

雷小璐正套上一件毛衣，聲音有點悶，「好！」

叮叮噹噹，何芳眞拉開玻璃門，聲音清脆的鐺鐺作響。

雷小璐在試衣間裡剛套好毛衣，正準備穿上另一條褲子，眼尾瞥著試衣間裡的另一道門，這種情況常見，那門上有鎖，門後就是服飾店的倉庫，只是還有道門在這兒，總是讓人不太安心。

好不容易套上褲子，突然傳來清脆的「喀」一聲。

咦？雷小璐直起身子，感受到一股冷風從後頭吹了過來……她遲疑的緩緩回頭——

「你們剛剛看著那服飾店發什麼呆？」

進入輕軌站時，毛穎德問了。

「咦？」夏玄允一副深思的樣子，「就是覺得有點怪。」

紫揚服飾店

「嗯嗯，我也是這麼覺得。」郭岳洋點頭附和。

「哪裡怪了？」馮千靜緊張的追問，她就是一直擔心那件服飾店有問題啊！

只見夏玄允斷了聲，一臉欲言又止的模樣，心裡像是琢磨著該怎麼說，一會兒沉吟一會兒又搖頭，搞得馮千靜急死了。

「你們沒看見嗎？」反倒是郭岳洋先開口了。

「什麼？」這會兒是毛穎德跟馮千靜異口同聲了。

「就是櫥窗那兩個模特兒啊……」夏玄允小聲的說著，「它們的眼珠子好像在動呢！」

「我回來了！」

何芳眞推開玻璃門，門上的風鈴叮叮噹噹。

「歡迎，隨便看喔！」店員親切的說著，「我們全店都有特價，歡迎試穿！」

何芳眞愣了一下，因爲面對她的是陌生的店員，不是剛剛那位，她尷尬的笑笑，指指試衣間，「沒，我等我同學。」

「妳同學？」左手另一個正在燙衣服的店員回首，也是張陌生臉孔，「誰？」

誰？這下換何芳眞呆住了，「就我同學啊，她在這邊試穿，我剛只是去拿東西給另外的同學……欸，那個剛剛兩個店員去哪裡了？」

兩位女孩面面相覷，一臉困惑。

「一直都只有我們兩個啊……」店員笑著，「妳同學是哪位？是不是先走了？」

「先走了？」何芳眞拔高了音，直接往十一點鐘方向角落的試衣間去，「我才去沒幾分鐘耶，雷小璐！」

指尖一觸及那門板，試衣間的門直接被推開，裡面自然空無一人。

咦？何芳眞呆住了，立刻轉身看向斜對角櫃檯邊的另一間試衣間，輕輕一推，又是一間空蕩蕩的試衣間。

「怎麼會……她至少拿了七件衣服進去耶！」何芳眞趕緊拿起手機，她跑去找蔡孟宏他們也沒幾步路，就算五分鐘好了，雷小璐不可能換穿這麼快的！

這種緊急時刻不能用LINE了，何芳眞帶著忿怒直接CALL她，眞的要走是不會說一聲嗎？

『您的電話轉接到語音信箱，嘟一聲開始計費，如不留言請掛斷，快速留言請按……』

手機絲毫沒有響，直接進入了語音信箱，這是關機或是沒電的狀態……何芳眞不死心的再打了一次，她可以確定不可能沒電，因爲剛剛在速食店時，雷小璐的手機還掛著葉克膜，正充著電怎麼可能沒電！

連打了三通，都是一樣的狀況，這讓何芳眞覺得既忿怒又不安了。

「有找到人嗎？」店員熱情的問。

「沒有……不是，她是我一走時就離開了嗎？」何芳眞氣急敗壞的放下手機問著。

「妳？」店員有點尷尬的望著她，「我們之前沒見過妳啊！」

呃，也對，這兩個店員跟剛剛那兩個不一樣啊，「請問剛剛的店員呢？輪班嗎？」

店員們搖搖頭，「這間店就只有我們兩個啊！」

「嗄？說笑吧，剛剛明明是別人啊！另外兩個女生，也是紮包頭……但不是妳們啊！」何芳眞焦急的嚷著，「不要鬧了，到底是怎樣……」

店員們攤手，她們也不知道怎麼回事啊！

「喂，買完了沒？」門口被推開一小縫，蔡孟宏探頭進來問。

「唉唷！」何芳眞立刻回答，「雷小璐不見了啦！」

蔡孟宏有些聽不明白，「不見？」

「對，我剛回來她就不見了，這兩個店員也不是剛剛那兩個，她們說沒見過雷小璐也沒看見我！」她急忙的走到門邊，「她到哪裡去了!?」

「打手機呢？」外頭階梯上的李彥樺說著。

「進語音箱啊，是在搞什麼惡作劇？」

「先再找找吧！」蔡孟宏推開門讓何芳眞可以出來，「對不起喔，如果有看到學生來找人，請她打電話給何芳眞好嗎？」

店員揚起微笑，點點頭，「何芳眞嗎，沒問題！」

「搞什麼飛機！我跑回來的耶，這麼短的時間她怎麼會不見？」

不，我在這裡！

「手機關機是怎樣？」李彥樺也撥了手機。

「確定裡面都沒人嗎？」

我在這裡啊！

「那店這麼小，也才兩間試衣間，我都看過了！」

不，妳沒有都看過了！

「先到附近找一下吧，說不定她去找我們了！」

不不，我沒有！

「對，去咖啡廳！」

不要走！蔡孟宏，你們不要走啊——

角落試衣間裡那間倉庫的門縫底下，有片連肉帶血的指甲落在地上，只可惜沒人瞧見。

第三章 4444

「說吧，你在鬼屋裡瞧見什麼了？」

連晚餐都沒吃，一回到家，馮千靜就直衝毛穎德的房間，還很明顯的關上房門，將夏天跟郭岳洋兩個拒於門外，甚至還對著他們說：我們談正事。

正事？小靜跟毛毛能有什麼正事談啊？夏玄允簡直不敢相信，毛穎德是他打小穿一條褲子長大的耶，什麼時候有不能讓他知道的祕密了？這絕對有問題，這問題也太大了吧！

只見毛穎德立刻比了一個噓，再指指門外，現在絕對是隔牆有耳。

馮千靜回首，門縫底下就是偌大一片影子，毛穎德起身到電腦邊找個音樂檔播放，連結到立體音響，要多大聲就能多大聲！

門外耳朵貼門的夏玄允一陣惱怒，直對著郭岳洋抱怨，你看看這兩個，就是不讓他們聽嘛！

「就是不舒服，整個鬼屋三層樓都有類似黑色結晶體的東西……好，在我眼裡那是不祥之氣。」他放輕音量，「密密麻麻，從地板到天花板全部都是。」

馮千靜實在聽不太清楚，又怕說話太大聲，決定更加靠近毛穎德一些。

幾乎，就貼在他耳畔。

「我遇到活生生的雕像、骨瘦如柴的骨女，還有雷小璐說的那位說話雕像。」

她把所見所聞，都跟毛穎德說了一遍。

他越聽眼睛越瞪越大，忍不住僵直了身子，「叫妳報警？」

「嗯，用法文說的，像在找聽得懂法文的人，但其實這有點詭異，爲什麼不用英文呢？」這年頭眞的有人基本英文都不會嗎？「雷小璐也聽懂了，所以她才那麼困擾。」

「可妳說那個雕像沒有手……」毛穎德忍不住打了個寒顫，「天哪！我現在眞的是渾身不舒服了，如果認眞起來，好像是說那個男的沒有雙手被做成半身胸像嵌在那兒似的。」

馮千靜輕抽口氣，忍不住退後幾公分詫異的看向他，連她都覺得雞皮疙瘩竄起，搓了搓手臂。

「喂，這樣聽起來很可怕耶！」她咬著唇回想，「一開始那個女生可是只有一隻手，還有在床上皮包骨的女孩……」

「光皮包骨那個我就覺得可怕了，人要怎麼樣瘦得只剩骨架？就算是厭食症患者，根本也沒有那個氣力能夠打這種工！」

馮千靜張開嘴，啊了一聲，「所以她是傀儡娃娃……對！她的身上都有緞帶繫著，緞帶連結著天花板，像被人操控一樣啊！」

這不就驗證了沒有力氣的女孩，所以才得受人控制！

「哪……等等等等，我們不要那麼展開！」毛穎德雙手按住她肩頭，「別認眞了，我們被最近遇到的事影響太多，什麼事都過度看待——這只是個鬼屋探險吧？」

馮千靜望著他，眉心不展的點點頭，連自己都難以說服自己。

「希望是……」她還是悶悶不樂，「但是我先出來後，工作人員一直問我問題，彷彿在套我話，看我知不知道那個說話的雕像說了些什麼！」

「套話？」聽到這兩個字，毛穎德就覺得更不對了，「這樣的說法很詭異。」

「我感覺得出來，正妹刻意一直問……我裝傻了，可是雷小璐卻直接講，這讓我心裡怎樣就是梗著，再加上兩千元的禮券——」

「這件事很扯，我同意！」毛穎德立刻接口，比了個二，「鬼屋探險送兩千元現金禮券，這點我的確覺得很不對勁。」

「不過去看了也沒事，就眞的是服飾店，禮券也能使用，我也就比較不那麼介意……」她扯扯嘴角，「然後夏天他又說覺得模特兒的眼球在動，害我又想到人假扮的雕像、再接著想到求救的男生……」

「停！」毛穎德再度制止她，「想太遠了！鬼屋探險，每個因素都是設計來嚇人的！而且妳也不能百分之百確定皮包骨的女孩是真人對吧？我注意到化妝化得很好。」

馮千靜深呼吸一口氣，仔細回想，的確每個斷肢殘臂都畫得非常逼真，連人扮成的鬼看上去也相當駭人。

但是對於親眼見過的她而言，還是少了份讓人毛骨悚然的真實感。

「不說我的部分——你呢？你剛才說滿屋子都是黑色結晶，不祥之氣！」馮千靜反過來問他了，「你那也是幻覺還是想太多嗎？」

毛穎德無力的垂下雙肩，「不……是……」

他是清清楚楚的看見，在地板上、在屋子裡每個角落，像是都覆上黑色的結石一般，黑到發亮、黑到讓他背脊發涼，他以前見過兩次那樣的結晶體，有點像是碎小的黑曜石，不管多暗的地方，都會散發出一種令人不安的光芒。

第一次是開學時，馮千靜過去的室友不知道哪個神經有問題，主動挑戰玩「一個人的捉迷藏」這種都市傳說，結果都市傳說真的展開，在幫忙解決的過程中，他就看過那種大量的黑色結晶。

第二次，也是遇到詭異的都市傳說：第十三個書架，對著詭異的書架許願，書架會給你密技幫助你完成願望，那個書架在別人眼中都是木製大書架，唯在他眼裡卻也是覆滿黑色結晶體的書架。

兩次，都讓他不寒而慄……那不僅僅是恐懼，還有一種觸及了似乎就開啓地獄的惡夢。

「我記得你之前說過……在第十三個書架上，見過那種東西。」馮千靜想起了，「還有……」

毛穎德伸出手，掌心向著馮千靜示意她別說了，這些事他比誰都清楚。

「我看見亡魂時不會有那種東西，只有一種情況之下……看得見。」他認眞嚴肅的直起身子，喉頭爲之緊窒。

無聲的答案瀰漫在他們兩個之間——「都市傳說」！

馮千靜立即跳起來，直接走到門後，猛然一把拉開，果然秒滾進兩個男孩，還哎唷的滾在一起。

「痛痛……」被壓在下面的夏玄允推著身上的郭岳洋，「洋洋你好重！」

「每天被馮千靜壓制還沒習慣吧？」毛穎德坐在他的巧拼上看戲，通常平日晚上馮千靜都會拿他們兩個來「練習」一下格鬥，據說用眞人跟對模型練習有很大的差別。

「不一樣啦……」夏玄允好不容易爬了起來，「小靜壓制時不會像洋洋一樣全身都栽在我身上！」

「厚！我是摔倒啊！」郭岳洋跪坐在一邊，「小靜妳突然開門嚇死人了！」

「是厚，委屈你們了喔？」馮千靜蹲下來，雙手抱胸的掃視兩位，「那請問貼在門上幹什麼呢？偷聽？」

郭岳洋立刻心虛的別開眼神，沒有沒有，他只是剛好貼在門上而已……夏玄允有點委屈的望著她，再望向毛穎德，心裡怎樣就是不舒坦。

「喂！我們什麼時候有祕密的？」他終於還是抱怨，「我們一起出生入死這麼多回了，居然瞞著我們講祕密！」

「誰跟你出生入死這麼多回啊！」馮千靜立刻一腳跨出，右手肘撐在膝蓋上，唰地拉開袖子，「這疤痕瞧清楚啊，每一次都是我在出生入死吧？」

夏玄允立刻將眼睛睜到最大，劃上那擁有雙酒窩的笑顏，「欸，我們是夥伴啊，有人出腦子，有人出力……」

「夏、玄、允！」馮千靜右手一根根手指握拳，昨天她不在家就皮癢了是嗎？

嗚嗚，夏玄允連忙縮了身子向後，眞應該讓早上那群法文系同學看看馮千靜現在的模樣，還有誰敢說她什麼內向文靜害羞啦！詐騙集團！

「好了，談正事吧。」毛穎德將音響關掉。

正事？夏玄允嗅到了嚴肅的氣息，「……發生什麼事了？我就覺得你們兩個今天都怪怪的。」

「是啊，今天一整天都是，毛毛幾乎都不說話，在速食店時臉色也很難看。」郭岳洋向來細心，「小靜更妙，明明不想跟同系的在一起，結果最後還主動說要陪她去服飾店！」

馮千靜瞥了毛穎德一眼，原來他們兩個今天都如此反常。

「想問一個都市傳說。」馮千靜也不拐彎抹角了，「有沒有在一間鬼屋裡，會有用活人做成道具的都市傳說？」

「嗄？」對面兩個正襟危坐的男孩圓睜大眼，開始思索著轉動眼珠子，老實說，連這種困惑的樣子都還蠻可愛的。

接下來夏玄允跟郭岳洋開始交頭接耳，討論著彼此聽過的「都市傳說」，這兩個人對「都市傳說」知之甚詳，但瞧他們討論這麼久，反而讓馮千靜感到不安。

「沒有嗎？」連毛穎德都禁不住問了。

「沒有聽過類似的耶……」夏玄允疑惑的望著他們，「你們覺得今天的鬼屋有問題是嗎？發現什麼了？」

「活生生的雕像，但不確定是化妝技術還是……」馮千靜聳了個肩。

郭岳洋忽然像是想到什麼似的，雙眼看向天花板遙遠的彼方，「那個……今天服飾店裡的模特兒，感覺也是人去扮的。」

「我跟馮千靜都沒看見，你們確定眼珠子有在動？」毛穎德對此會存疑是有原因的，因為他有留意到男士模特兒身上的圍巾，「我看就是個塑膠假人，也沒看見什麼眼珠子……」

「斜斜的往下瞟啊，眼珠子一直在動，有點像……」夏玄允食指在空中晃著，「對對對，像在對我們使眼色！」

「使眼色？」馮千靜一顫，「對你們使什麼眼色？」

「我也不知道，不過我後來再細看時，又覺得他們好像是在看著前方……」郭岳洋自個兒也一臉不解。

「等等，假人是沒有眼珠子的……只是刻個圓形而已。」馮千靜也代言過不少東西，假人模特兒看得還少嗎！「你們講的是眞正人類的眼珠？有顏色的？具有靈魂的？」

「嗯！」兩個男生同時用力點了頭，「就是有靈魂啊！」

如此肯定反而讓馮千靜益加不安，她當時眞的是沒有瞧清楚……誰會去注意到哪個假人模特兒的眼珠子會不會動……不對，瞧見會動比較可怕吧？

「喂，我們是在談鬼屋吧！爲什麼扯到服飾店的模特兒？」毛穎德想把話題拉回來，「所以，並沒有相關的都市傳說？」

「完全沒印象。」夏玄允肯定的搖頭，「但是，服飾店那個眞人假模特兒倒是有！」

後面這句語驚四座，馮千靜當場就呆住了，「什麼!?」眞人假模特兒？

「就是把人做成模特兒啊，很久很久以前有過相關的都市傳說。」郭岳洋瞇起眼，條理的述說，「傳說有人進入某間午夜才會開店的服飾店，進去後試穿衣服後就消失，從此人間蒸發，但是……有人就會發現櫥窗裡的模特兒活靈活現，跟那個人一模一樣！」

「這也太費力了吧？假人模特兒買一個才多少？拿眞人去做？」馮千靜皺著眉，難理解誰這麼閒，「而且屍體怎保存？腐爛了怎麼辦？」

「No No No！」夏玄允連忙在馮千靜眼前搖晃著食指，「誰說是屍體了！活著呢！活生生的人！」

「這更扯了！活人爲什麼乖乖聽話架在那兒？」毛穎德相當不以爲然，「這傳說不對。」

「就說是『都市傳說』嘛，以前有人說是詛咒，也有人說是活人被打了藥，會全身無法動彈。」郭岳洋一擊掌，「不過這個太久了，後來就被別的試衣間傳說給蓋掉了。」

馮千靜忍不住皺眉，「還有別的？這會不會太扯？」

「試衣間的暗門，這個都市傳說妳沒聽過？」夏玄允拔高了音，很激動的望著她，「我的天哪！小靜，妳是我們都市傳說社的元老級社員，有些基本常識妳要懂啊！」

「我才不要！」馮千靜不爽的瞪向他們，「明明一開始就說好我是幽靈社員的，結果居然一直遇到都市傳說就算了，我還連帶受了一堆傷！我巴不得不要再碰到！」

「不是每次都跟我們有關係啊！」郭岳洋還敢補刀，「上次妳那個格鬥的對手，不就自己去找都市傳說對妳下咒了！」

馮千靜沉默，用殺氣騰騰的眼神射向郭岳洋，他頓時才感到自己似乎像說錯了話，速速後退。

「好啦！說重點。」毛穎德打斷了他們，因為那個對手的死亡，其實他知道……馮千靜並不好受且不願提起，「試衣間有什麼傳說？」

「試衣間的暗門！前面就跟洋洋剛剛說的都一樣！」夏玄允接話接得飛快，彷彿是在救援郭岳洋，「原版是說老公在外面等老婆買衣服，但再回頭找老婆時卻找不到了，服飾店說沒見過他老婆，不記得有這樣的人進店裡，然後幾年後老公在一場畸形秀裡見到了無手無腳的女人，發現那就是他老婆！」

馮千靜越聽眉頭越皺越緊，「噁不噁心啊？鋸掉手腳？」

「不僅如此，還割斷聲帶或拔舌呢！」郭岳洋補充說明，「讓他們不能求助，真的跟畸型一樣在台上咿咿呀呀……還有另一種是說看見不倒翁秀，也是把一個女人手腳被剁掉，但讓她像懷孕一般大著肚子，在台上搖晃著宛如不倒翁。」

厚！毛穎德也閉上雙眼，「這都市傳說太變態了吧？其實是人口販賣吧？」

「把人擄走鋸掉雙手雙腳的用意是什麼？」馮千靜覺得不可思議，「要賣可以有更好的用途吧？」

「欸欸欸，這是都市傳說啊！沒有道理跟邏輯的，就是有人會消失在試衣間裡，就是會被弄成畸型，這種無法預料的事，才是最迷人的地方啊！」夏玄允立刻陷入一種陶醉，「有時候都會想看看，那間服飾店究竟在哪裡……」

馮千靜立刻扳起臉孔，「對，然後把你推進去試衣間，幾年後再跟你見面SAY HELLO！」

夏玄允臉色丕變，一臉受傷的表情，「小靜妳好狠！」

「自己聽聽說那什麼話……眞有這種服飾店，應該讓它消失才是……還希望見到咧！」她不耐煩的嘆口氣，對都市傳說狂熱，某方面而言可以稱爲變態吧？

「本來我跟夏天在猜是不是下午那間呢，因爲看到模特兒的眼睛在動啊……不過後來想想搞不好是整人的！」郭岳洋邊說邊帶著淺笑，「畢竟是那個鬼屋探險送的禮物，嗯嗯，嚇人第二彈！」

咦？馮千靜跟毛穎德不約而同互看了一眼，他們倒是沒有想到這一點耶！

對啊！既然是鬼屋送的禮物，表示跟服飾店一定有合作，都能有扮成雕像的人了，難道不會有扮成模特兒的人嗎？

「呼……」馮千靜忍不住鬆一口氣，「我怎麼突然有種如釋重負的感覺？」

「是啊，這樣說起來，說不定每個環節都是嚇人的！」毛穎德眼神示意，表示那個會說話的雕像可能也是安排好的。

像蔡孟宏遇到時聽不懂，但不管那雕像說的是什麼，好好的雕像突然開口，就足以把處在緊繃狀態下的人嚇得魂飛魄散啊！

「本來就是吧，雖然我們抱持著小小的希望……」夏玄允還感嘆著，「不過想想這類都市傳說好像在現代有點難存在，監視器這麼多、人人也都有手機……而且也很少有人眞的會一個人去買衣服。」

「要不然打4444的時間，就拿來打電話報警就好了啊！」郭岳洋莫名其妙也一臉失望是怎樣！

「打4444？」馮千靜又聽到不瞭的。

「厚，小靜！我應該開一堂都市傳說課給妳才對！」夏玄允煞有其事的說著，「這當中有一派的傳說是講，如果你被抓走了，就記得撥4444求救！」

哼……哼哼，馮千靜冷冷抽著嘴角，要是有機會打電話，打4444幹嘛？當然要報警啊！

「這是哪門子的傳說啊？我……」邊說，她口袋裡的手機叮的響起，「眞的人口販子最好會讓你拿到電話。」

她拿出手機看向螢幕，突然一怔。

這是什麼？馮千靜立刻緊皺眉心，盯著在黑暗螢幕中閃出的LINE簡易視窗，毫不猶豫的立刻點開。

發送者雷小璐……這是她們下午在速食店時交換的LINE，上面還是她傳送

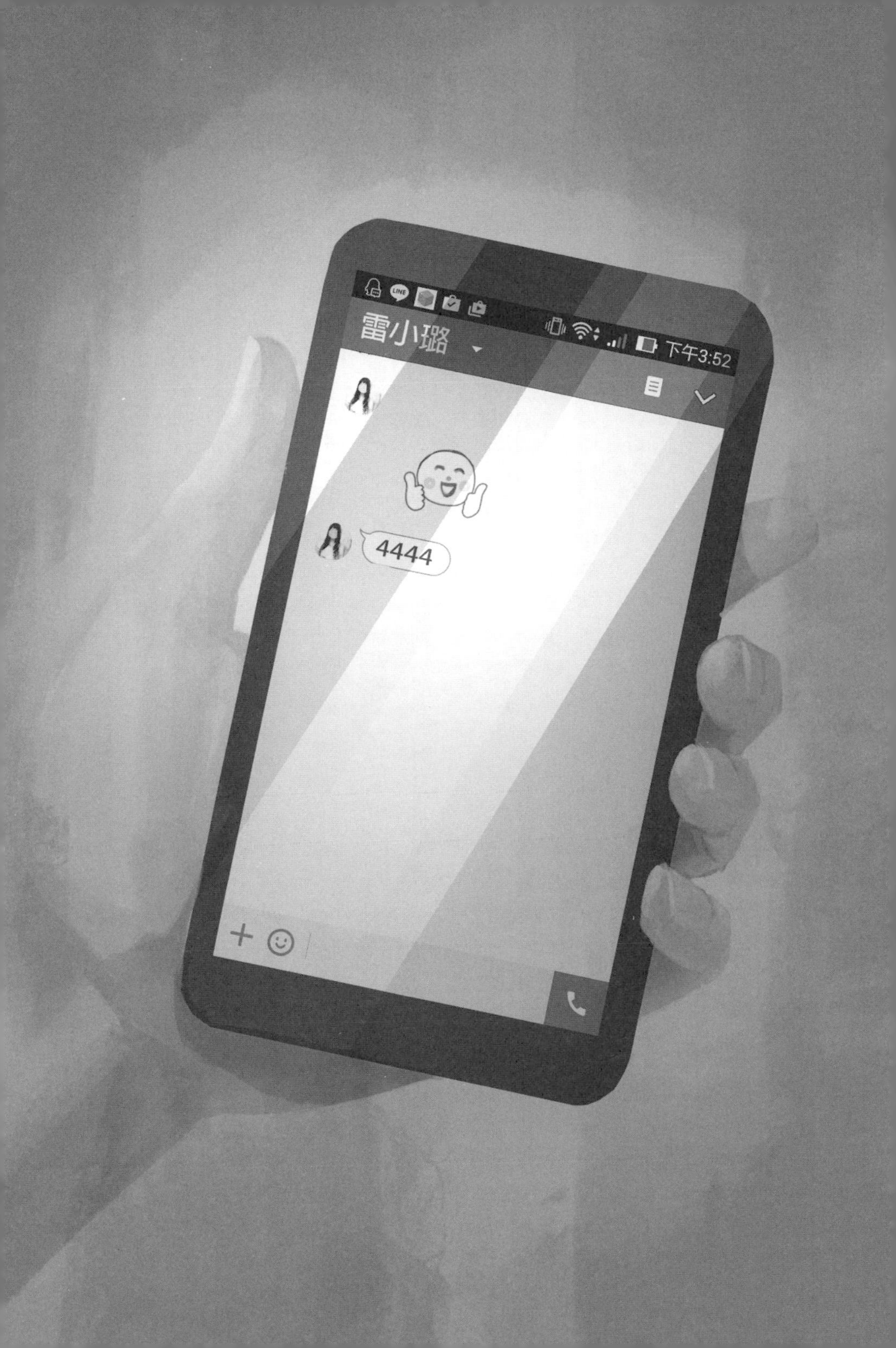
雷小璐
下午3:52
4444

的貼圖，下面是剛發來的訊息……

『4444』。

「怎麼？」毛穎德立刻移過來，倏地倒抽一口氣，「這什麼!?」

「我不知道……」她微顫著手，把手機面向了狐疑不解的郭岳洋跟夏玄允，

「你們剛說的是這個嗎？」

剎那間，房內鴉雀無聲，連夏玄允都瞪圓雙眼說不出話，郭岳洋則握著雙拳思忖，這未免也太巧了吧？他們餘音未落，就有人傳一模一樣的數字給馮千靜？

馮千靜不是個有耐性的人，遇到事情就是要立即解決，所以她直接回撥電話給雷小璐。

『您的電話轉接到語音信箱，嘟一聲後開始計費，如不留言請掛斷，快速留言請按……』

「直接進入語信箱了，我再發LINE給她。」她打著字，問雷小璐這是什麼意思？妳在哪裡？

氣氛相當低迷，房裡沒人說話，每個人都在想著這究竟怎麼回事，而毛穎德覺得剛剛放下的心，現在又被提起來了。

還沒喘口氣，急速連續的LINE聲接二連三的傳來，而且一次四支手機都

響，這種現象唯有共同群組——社團群組。

「是林詩倪！」郭岳洋很快的點開瀏覽，「她要我們快點看社團的專頁……說出事了！」

毛穎德立即躍起，一屁股坐上椅子，滑到書桌前，他有個30吋的大電腦螢幕，開啓FB，進入「都市傳說社」社團頁面——

最上面的發文馮千靜還來不及看，卻看見雷小璐今天在鬼屋入口處與何芳眞她們的自拍照！

『雷小璐失蹤，目前聽說是進入一間服飾店之後不告而別，手機不通，朋友也不知道她去了哪裡，附近全部都找不到。這讓我想到某個都市傳說……』

那是林詩倪的發文，下頭一堆人回應：試衣間的暗門！不倒翁！畸形秀！更有許多人在那邊讚好，說又有都市傳說發生了，好精彩好期待啊！

「精彩什麼啊！」馮千靜驀地用力擊了毛穎德的桌面，「這些人有病嗎？」

毛穎德緩緩的看向她擱在他桌面的手，桌子不貴但也不便宜，請不要傷害無辜的桌面好嗎！

「這些人就是只敢在敲敲鍵盤說酸話而已，眞的叫他對外說這麼多根本不敢，妳別在意。」他移開滑鼠，右手罩在她手上，「冷靜點，我們先來搞清楚發生什麼事。」

「喂，您好，我是夏玄允。」突然間門邊的夏天已經在講電話了，「請問是何芳眞嗎？」

毛穎德跟馮千靜看向他遠離房間的背影已經夠瞠目結舌了，結果郭岳洋人早就不知道跑到哪裡去了！

這兩個傢伙跟網路上那些讚好的人差別不大吧？一遇到都市傳說就開心得不得了，不一樣的是他們就算在都市傳說面前，也毫不遮掩對於都市傳說的狂熱與喜愛……很欠揍，讓人恨得牙癢癢的，可他們也是會盡力去解決事情的人。

「夏天打給誰啊？」

「雷小璐的朋友，大傳那個……奇怪，他們什麼時候交換電話的？」馮千靜開始焦躁不安，「她失蹤了，她怎麼會失蹤？我們那時看見她好好的進去服飾店的，何芳眞也在，男生只是先去買咖啡……」

「放心，我百分之百保證夏天一定會把這件事攬上身。」毛穎德動手點下滑鼠，把林詩倪剛發的那篇文刪掉，「妳打給林詩倪，叫她暫時不要在社團ＦＢ上發相關訊息。」

馮千靜緊蹙著的眉心略舒緩，她看那篇發文的確覺得煩躁，事情都還沒確定就在那兒瘋傳，感覺……感覺好像是大家眞心期待著一個都市傳說的發生一樣。

這個都市傳說剛剛夏天說什麼來著？試衣間的暗門，後面發現時都無手無腳啊！

「確定了！」夏天滑步而入，扳著毛穎德的門框煞車，「是那個都市傳說！」

「確定什麼啊！你憑什麼斷定的！？」馮千靜惱怒的喊著，這種事可以隨便確定的嗎！

夏玄允絲毫不知道收斂，反而一臉喜出望外，「是眞的！何芳眞說她途中離開幾分鐘的時間，那時雷小璐還帶著七八件衣服在試衣間，回來時卻不見了——而且店員全部是生面孔，甚至否認雷小璐或是何芳眞她們曾去過那間店！一模一樣啊！」

「閉嘴！」馮千靜忍不住大吼，「不要笑！」

夏玄允頓時噤聲，他斂起笑容有些尷尬的看著全身緊繃、雙拳緊握的馮千靜。

聽聞吼聲奔來的郭岳洋一看到氣氛就知道相當不妙，他握著夏玄允的手臂，只見他低垂著頭，不知道該如何解釋。

「他不是在爲雷小璐的失蹤開心，妳別這樣。」毛穎德起身，搭在她肩頭，

「妳明知道他們的。」

「有不一樣嗎？他們爲都市傳說的出現而開心，但都市傳說的出現必伴隨著傷亡或失蹤……至少這一次，說不定會有人被砍斷手腳？」馮千靜扭開肩膀，明知道與毛穎德無關，但她卻還是遷怒了。

重重踏步往外頭走去，門邊的兩個萌少年迅速讓開，誰也不敢多話或是造次，就見馮千靜筆直走向自己的房間，進入，甩門，關上——砰！

那甩門聲超大的，所有人都顫了一下身子。

「你那態度太惹人厭了。」毛穎德不客氣的直指夏玄允，「不管哪個都市傳說都有人會出事。」

「又不是我害的。」夏玄允一臉無辜，「我也知道不好，但是我是喜歡都市傳說的人啊！」

郭岳洋還看著左前方角落的房門，「好奇怪喔，小靜怎麼那麼生氣？她不是根本不太認識雷小璐！」

「這不是熟不熟的問題，畢竟同系嘛！」毛穎德也是無奈，「你們也知道她的，這個都市傳說鐵定是惹毛她了。」

馮千靜厭惡看到欺凌、也討厭都市傳說的「囂張」，憑什麼就這樣任意殺人，沒有理由反而更令人不爽！而且其存在根本就是來害人的，之前那花樣年華的格鬥新秀，就這麼香消玉殞……雖然某方面而言她是自作自受，但若是都市傳說不存在就好了！

這次更麻煩的是，對象還是同學了！

她雖然裝作什麼都不在意，但其實熱血一點都不輸給夏天他們。

「可能性很高啊，雖然說眞的有可能是惡作劇、也可能是失蹤，但是服飾店的反應跟態度太可疑了。」夏玄允突然變得一本正經，「再倒回去想想那些模特兒，說不定他們眞的是眞人，我跟洋洋都沒有看錯。」

三個大男生交換眼神，這眞的是最糟糕的狀況。

「我現在由衷希望等等大家就說找到了，是誤會一場。」毛穎德重重的嘆口氣，他剛快速的考慮過這個都市傳說一輪，覺得好像有點棘手。

「如果是誤會一場的話……」郭岳洋聲如蚊蚋的說著，「那雷小璐傳給小靜的4444是什麼意思呢？」

「我們眞的沒看過那個女學生，沒有的事要我們怎麼認？」

今天的店員是個四十餘歲的女人，自稱是店長老闆娘，她就站在服飾店門口拒絕採訪，記者被警方擋在外頭，但是蔡孟宏他們卻以失蹤者朋友的身分在店門口與店長爭執。

「喂，我同學在妳店裡失蹤，妳隨便說兩句就當沒事了喔！」李彥樺不爽的直指老闆娘，「妳們是不是把我朋友拐走了？」

「胡說什麼啊你！我的工讀生都沒人看過那個學生！沒人見過你們啊！」老闆娘瞪著他們，「你們是不是故意找我麻煩的？我們又沒惹到你們！」

「誰要找你們麻煩啊！我同學呢？」何芳眞嚷著，「她一定是在這裡！」

一群人吵成一團，遠遠的馮千靜就瞧見了，警車都在附近，失蹤二十四小時以上才能視同失蹤，所以警方到隔天星期日下午才開始行動；而馮千靜他們也以失蹤學生的目擊者與同學身分溜進管制區。

服飾店外站了老闆娘跟其他兩個店員，夏玄允跟郭岳洋第一時間就跑到櫥窗前，再次仰頭望著那一男一女的模特兒。

「嘿。」毛穎德主動切進人群，到了李彥樺他們身邊，「情況怎麼樣？」

「咦！你是、你是那個……」李彥樺認得他，但昨天沒介紹到名字。

「我叫毛穎德。」他草草帶過，「雷小璐還是沒消息嗎？」

馮千靜也來到何芳眞身邊，依然是全副武裝包裹，隻手搭在她肩上，何芳眞先是嚇一跳，看見是馮千靜才鬆口氣。

「她眞的不見了，衣服、包包、所有東西都不在。」她都快哭出來了。

「那兩個女生是誰？」馮千靜問著老闆娘身後的女孩。

「店員啊，她們兩個根本不是昨天我看見的……對！妳有印象吧？不是這兩個對吧？」何芳眞緊張的拉過她，要馮千靜好好認認。

馮千靜立即搖頭，「服裝跟髮型一樣，但人完全不同。」

「就是就是！但是她們卻矢口否認有別的工讀生，說昨天一整天都是她們，還說我認錯了！」何芳眞突然拽著馮千靜往前，「喂！這是昨天我們另外的同學，她可以作證，看見雷小璐走進店裡，也確定店員不是妳們兩個！」

老闆娘眼神立刻看過來，馮千靜瞬間接收——好銳利啊！簡直像是數把利刃，隻隻飛掃而至！

「同學，你們安靜點，先別這樣吵。」警察安撫著，「我們已經在蒐證了，稍安勿躁好嗎？」

蔡孟宏上前安撫著何芳眞，現在在這邊嚷也沒用，既然已經報警，就得先讓警方把證據蒐集齊全……雖然事隔二十四小時，不知道還能剩什麼證據。

「昨天的店員不是這兩位吧？」觀察良久的毛穎德這才出聲，禮貌的走向老闆娘，「您好，我也是失蹤學生的朋友，我昨天在這兒看見的不是她們啊！」

或許是毛穎德態度好多了，老闆娘也沒那麼劍拔弩張，「我就只有這兩個店員，另外有一個支援的這星期都沒班，所以我根本不知道你們在說什麼啊！」

「就是啊，我們眞的沒見過那個什麼雷小璐的，別說她了，你們幾個都沒見過啊！」店員說著，還帶著悲屈。

「我們這麼多人，應該很明顯……噢，不說我們，就說雷小璐吧。」毛穎德彈了指，「她昨天可是帶著兩千元禮券到這裡來，問妳們店員這是否等同現金使用，這很明顯吧？」

「兩千元？」老闆娘笑容有點尷尬，「是……是有跟鬼屋合作，但是這麼大的獎我們怎麼可能會沒印象？」

她回首，兩個店員立刻點頭，「是啊，我們有被交代這種大單要拍照存證的，但是沒有啊！」

拍照？何芳眞突然啊了一聲，「有！有拍照！進去後店員拿一台粉紅色的拍立得，要雷小璐拿著禮券拍照啊！」

「照片呢？」馮千靜立即追問。

「本來貼在她們櫃檯後面的牆，但是我拿劵給蔡孟宏回來後就什麼都沒有了……」

「啊妳應該也有幫她拍吧！」蔡孟宏靈機一動，只要有雷小璐在店裡的照片就算數了啊！

何芳眞難受的嘆口氣，「我用她的相機拍的！」

但是現在雷小璐所有隨身物品都跟著她一起消失了，所有的照片、證據，完全都不復存在。

「我們是粉紅色的相機沒錯，可是沒拍過她啊！」店員異口同聲。

偏偏是拍立得，根本無法追蹤紀錄。

馮千靜口袋裡握著手機，她手機裡有一條雷小璐傳來的LINE，應該要交給警方檢查來源才對。

站在玻璃櫥窗下良久的兩個男孩終於回身，用一種既失望又困惑的眼神望向同伴們，馮千靜跟毛穎德雙雙期待的看向他們，他們卻搖搖頭。

眼珠子該會轉動的模特兒，現在已經變成貨眞價實的模特兒了，如同馮千靜所說的灰白色雙眼，是具塑膠，不具生命。

儘管衣服穿的與昨天相同，展示櫃、吊掛架、所有的一切都與她們昨天看見的一模一樣，完全是雷小璐進入店家之前的狀態，包括她中意的那件毛衣。

但是，雷小璐明明進入過這間服飾店，她卻像踩上這階梯的瞬間就消失了。

馮千靜爲此也到櫥窗前望了一望，毛穎德反而不動聲色的站到後頭去觀察，可以看見老闆娘對於他們在櫥窗前的探查有點在意。

警方終於出來了，裡面沒有找到任何相關的物證，但他們還是蒐集了無數指紋回去確認。

「怎麼可能……那個試衣間後面有道門——」何芳眞緊張的喊著。

「看過了，就是倉庫而已，我們都檢查過了。」警方向她解釋著，「接下來我們會調閱附近的監視器，也請同學們相互留意。」

沒有……這怎麼可能!?

「同學，妳要是不放心，我可以讓你們看。」老闆娘不爽的開口，像是一種自清。

「好!」這簡直求之不得，何芳眞一口答應。

老闆娘跟工讀生立刻回到店裡，裡面還有警方在跟老闆娘做最後交代，蔡孟宏連忙跟在她們身後，李彥樺自然也不能缺席，小小一間店擠了好幾個人。

「我們想到後面看看。」夏玄允跑過來說了聲，立刻又回身跟著郭岳洋向右轉去，想探查這間店的四周。

馮千靜站在門口看著昨天雷小璐愛不釋手的那件毛衣，再緩緩搜尋毛穎德的位置，他在左後方，馮千靜指指店家，表示她也要進去看一下。

警方離開，老闆娘打開倉庫讓何芳眞瞧，店裡騰出些空間後，馮千靜也跟著走進；櫃檯在門的右手邊，裡面站著那兩個正妹工讀生，馮千靜自然的靠在櫃檯外頭，瞄著滿牆的拍立得相片。

何芳眞步出，滿臉的不可思議與失望，接著是蔡孟宏說要進去，李彥樺排下一個；女孩一出來就暗自低泣，李彥樺連忙安慰著她，聽她說倉庫眞的很小，堆滿衣服，根本沒有能藏人的空間。

馮千靜環顧著整間店，店面很小，門口開在偏右，左邊就是玻璃櫥窗，置放一男一女的假人模特兒，兩階小階梯進店，玻璃門是手推式的，門上有風鈴叮叮噹噹，現在門雖開著，但是因爲風，讓風鈴未曾稍歇。

走進店後，右手邊會再多出一小角空間，便是櫃檯與結帳處，左手邊一區全是衣服，中間有折疊好擺放的衣服，四周也有吊掛起來的裙子外套，配件什麼的都找角落放置；不得不說，這間店的風格相當好，挑選的衣服飾品不管男女都十分好看，既具流行感又不落俗套。

試衣間一共兩間，一間就是門口的十點鐘方向角落，另一間就是……馮千靜往旁一瞥，幾乎正對著門口略偏右，就在櫃檯旁的角落，這間店應該屬多角型，試衣間都恰在鈍處。

粉色風格，但又不至於過度夢幻，因爲也有男生的配件，牆上有許多人物畫，幾乎都是水彩風格。

「我可以進去看看吧？」馮千靜指向空著的那間試衣間。

「嗯……可以。」店員回答得相當勉強。

馮千靜立即筆直朝試衣間走去，輕輕用指尖就能推開了門，裡面就是一間小方間，沒有鏡子，牆上幾個掛勾——誰!?

馮千靜背脊一直，倏地回首，一雙大眼瞪著正後方的牆！

牆上也掛著一幅風景畫，畫中有幾個人在奔跑野餐。

她抬起手看著自己汗毛直豎，不可思議的瞪著那面牆瞧，這不是錯覺，剛剛有人在看她！

她全身都冒冷汗了，瞬間的發冷讓她一顫，她緩步的往試衣間底走去，大膽的曲起食指，就在牆上敲敲。

叩，叩。

「同學？」店員立刻站在門口。

「空心的？」馮千靜睨著她。

「我們這都是空心板啊！」店員敲了旁邊的牆，一模一樣的聲音，「這種裝潢怎麼可能實心！」

李彥樺跟何芳貞聞聲也跑了過來，馮千靜在三面牆都敲敲，果然是一樣的聲響……她多心了嗎？

馮千靜遲疑的走出試衣間時，蔡孟宏也搖著頭從另一間出來，接著就換李彥樺進去，何芳貞跟蔡孟宏討論的內容一致，根本不可能有人在裡頭。

馮千靜卻靜靜站在試衣間門口，全身僵硬的暗握飽拳，冷汗悄悄從背部滴落……眼神，是從四面八方來的。

現在的她站在這兒，到處都有目光正瞪著她……這絕對不是錯覺。

那是盯上獵物的眼神，她不可能會分辨錯誤。

在擂台上長大的她，不會不知道那種想將人生吞活剝的侵略眼神！

第四章 尋人

「都市傳說社」再次啓動，即使毛穎德第一時間刪掉了林詩倪的貼文，但是看見的人還是很多，星期一中午時就有一堆社員湧入，大家都在討論這詭異的都市傳說。

身爲社長的夏玄允當然也在社團，他表明這個都市傳說雖說由來已久，而且許多人都聽過，但是幾乎沒有顯著的例子，只能請大家四處去查詢並且蒐集資料，把所有相關的元素都找到，看能不能及時找到雷小璐。

那天三、四節課是大堂課，坐在教室裡的馮千靜根本心不在焉，老師也提到關於系上有同學失蹤的事情，請大家要注意自身安全，並且如果有人有消息，隨時通知老師。

蔡孟宏跟李彥樺都沒有來，他們可能還在尋找雷小璐，馮千靜的確跟雷小璐不熟，但是那天好歹也是有機緣才會撞見，讓她無法釋懷的，應該是她明明覺得有問題，甚至一路陪到了服飾店，卻還是出事了。

何芳眞跟雷小璐同一社團，卻一見如故，情感非常好，加上雷小璐幾乎是在她眼皮子底下消失的，對何芳眞來說自然感到更加難受。

任誰都難以接受吧！只是離開個幾分鐘，同學卻像人間蒸發似的？

馮千靜把手機交給在警局熟悉的章警官了，章叔是老爸的好友，打從她一過來上學就「特別關照」她，深怕她班上有什麼事端，或是出意外就不好了，畢竟身爲格鬥者，身體是最重要的資產，哪怕一點小傷都會影響出賽。

偏偏，一連串的都市傳說讓她都是在危險上度過，身上的傷根本沒少過，進警局也不知道多少回，筆錄已經做到熟能生巧，知道該講些什麼速戰速決！不過橫豎有個熟人在警局很方便，她暗自提供資訊，請章叔找找傳訊的地點，或許能有點線索。

至於那間服飾店裡的目光，她想來就覺得可怕，四面八方都有人在偷看嗎？究竟是藏在哪兒？試衣間裡的眼神最可怕，她彷彿被蛇盯上的老鼠，那種毛骨悚然的感覺眞的難以忘記。

帶著午餐前往社團，夏天早傳了LINE說今日社團很熱鬧，大家都來問都市傳說的事，她原本已經厭倦該死的都市傳說，明明說好不想再沾的。

前不久與一個後起之秀進行友誼賽，她出人意料的落敗，落敗原因是因爲對手竟然利用了都市傳說的詛咒，讓她無法專心參賽；可是那個都市傳說她遭遇過了，知道詛咒只能維持七天，只要知道破解法，詛咒便會反撲在施咒者身上。

所以七天後，那個風光無限的後起之秀慘死於家中，死狀甚慘而且詭異，找不出原因，只知道一個年輕的生命被啃蝕而亡。

這件事給她的打擊也不小，她明知道對手是利用某個都市傳說詛咒卻也不能說，但是她爲此極度厭惡了這種遍布於周邊的都市傳說，一點都不想再招惹……

走出電梯門，往左拐進走廊，「都市傳說社」位在末端，只是走廊上站著一個穿著襯衫牛仔褲的女人，正一臉困惑的看著眼前門邊的牌子喃喃自語。

「啊！同學！」她一見到馮千靜立刻轉身過來，「請問一下，這裡是學校的所有社團嗎？」

外校人士？馮千靜點點頭，「嗯。」

「好多啊……我在找都市傳說社，請問妳知道嗎？」她一頭俏麗短髮，看起來相當俐落。

「呃，我是社員……」馮千靜指向前方，「要跟我走嗎？」

「眞的？太巧了！謝謝！」女人一臉喜出望外，趕緊跟在馮千靜身邊。

外賓來學校找「都市傳說社」？怎麼看都覺得怪怪的！領著女人來到末間，女人望著門邊那塊寫著「都市傳說社」的木頭牌匾，眉間忽然蹙起。

「到了……」她輕聲對自己說著，表情突然浮現一抹哀傷。

馮千靜輕叩後便推門而入，果然看見老戰友林詩倪、阿杰、黃宏亮等一起出生入死過的資深社員，同時他們也曾捲入別的都市傳說中。

「夏天，外找。」馮千靜一進門就指向門外，「有人來找都市傳說社。」

嗯？夏玄允扭頭向外看，緩緩站起身，女人微微笑著一步踏入，社團內數十人頓時靜了下來……誰啊？

「您好，我是社長，夏玄允。」面對陌生人，夏玄允一開始都超有禮貌的，用那外表與態度絕對可以騙倒一干人等。

「您好……對不起我來得有點突然。」對方居然遞出名片，讓夏玄允有點錯愕，「我是外校人士，我看到新聞報導所以找過來的。」

「新聞？」郭岳洋好奇的皺眉，新聞沒提到他們社團啊？

昨天他們一起到服飾店時的確有媒體，夏玄允跟郭岳洋當然有被抓到訪問，他們上鏡頭一樣好看，但只提及了學校以及跟雷小璐是朋友的事情而已，誰也沒提到「都市傳說社」啊！

夏玄允拿著名片，上頭寫著：「律師劉品娜」。

「劉小姐……」夏玄允喃喃說著，「是因爲失蹤事件嗎？」

「是，我一看到新聞就知道那是什麼了，我搜尋你們學校時意外發現了這個社團……非常有名。」劉品娜堅定的說著，「這是冥冥之中的注定，給了我一線希望，要我一定要來這兒一趟。」

「妳是雷小璐的誰嗎？」馮千靜問了。

「不！」劉品娜搖搖頭，「我歷經過一樣的事，我的朋友也在試衣間裡失蹤了！」

咦咦咦——現場紛紛傳出驚訝的叫聲，一模一樣的事？

夏玄允立刻往右挪了一步，騰出沙發的空間請她坐，郭岳洋更快的繞出桌子準備倒水，這兩個人速度驚人得讓馮千靜忍不住皺眉。

一聽到有人遇過類似的都市傳說就HIGH翻了吧！

「我跟我同學在高中畢旅時去了國外，她進去試穿衣服，我去咖啡廳等她，卻再也沒有等到她。」劉品娜說話相當有條理，「不管當地警方如何搜查都沒有結果，店員也矢口否認見過我、甚至我朋友，至今已十年，她沒有再出現過，直到我看見昨天的學生失蹤新聞，根本如出一轍。」

「後來呢？妳說是在國外，妳們待了多久？」郭岳洋已經搬出紀錄簿，裡面有著「都市傳說社」遇過的大小事，每樣事情總是記載得鉅細靡遺。

「當年我是孩子不能待太久，從她出事起算五天，警方連指紋都查了，完全沒有我朋友的蹤跡，那個地方沒有監視器，所謂的人證只有我。」劉品娜皺著眉，表情相當難受，「她父母在那邊一個月後也回國了，一個人間蒸發的人，連一點線索都沒有，根本無從找起。」

郭岳洋飛快的在本子上紀錄著，關鍵字跟雷小璐果然一樣。

「所以妳認爲雷小璐跟妳朋友遇到一樣的事？」夏玄允理解她出現的原因。

「是，我來這裡前已經去了那間服飾店觀察過，不一樣的風格，但是衣服都具有特色，是個絕對會吸引人進入的地方。」劉品娜語出驚人，「而我也買了一件，甚至進入試衣間試穿了。」

夏玄允詫異的看向她，劉品娜手上的提袋裡正是一件衣服，「妳居然進去了!?」

這劉小姐是個超級行動派啊！

「嗯，但什麼事都沒有。」她還有一絲遺憾，「我在裡面拍了幾張照片上傳，原本打算萬一發生什麼至少能有證據。」

「這種事不要開玩笑吧！萬一眞的……我是說萬一這個傳說是眞的……」郭岳洋小心翼翼的勸說，「下次要去還是找個人陪！」

「我想找到我朋友。」劉品娜堅定的說，「我當初千不該萬不該，就是不該讓她一個人去試穿！在國外那種陌生的場所——」

「這次發生在國內，還是鬧區。」馮千靜打斷了她的自責，「跟在哪裡沒有關係，重點是那間店，以及後面發生的事。」

劉品娜抬首正視隔著張茶几的她，「我會盡可能的提供協助，我認識不少人，需要的話請找我。」

夏玄允亮了雙眼，「眞的嗎？謝謝……眞的謝謝妳！可是，我們不知道妳朋友有沒有在裡面……」

「那不是重點。」劉品娜再次從皮夾裡抽出一張照片，「我當然希望找到她，但是找到你們的朋友也很重要，更重要的是應該要把這個人口販賣集團逮捕。」

喔喔，她認爲是實質的人口販賣集團，而不是都市傳說嗎？馮千靜口罩下的嘴勾了輕笑，英雄所見略同啊！

「可是那天我跟夏天在附近逛了一圈，那間店就是很小，兩旁都有其他店家，後面是個防火巷，超窄的……沒看見什麼可疑之處啊！」郭岳洋說明著，一邊滑動手機，「我也拍了照片研究，如果是販賣集團，人從哪裡不見？警察都沒找到嗎？」

劉品娜嘆了口氣，「是啊，這就是高明的地方，人從哪裡不見的？」

馮千靜看過郭岳洋拍的照片，看上去眞的沒有什麼，四處均沒有多餘的空間或密道，但是……那些眼神是怎麼回事？那些人躲在哪兒偷看著她？

「你們如果一直去服飾店，他們會煩死吧？」黃宏亮提出了見解，「還是我們輪流去探查，看能否發現什麼警方看不到的東西！」

「這不錯！店員又不認識我們！」林詩倪看起來躍躍欲試。

「等等，太危險了吧！」阿杰提出反對，「這個都市傳說裡，只要不見就是……永遠不見耶！」

劉品娜微顫了一下身子，是啊……就這麼消失的朋友，連一根頭髮都沒留下。

「不要落單啊，死都不離開服飾店就好了！」黃宏亮彈指，「仔細想想，不管哪個版本，都是那個女生一個人在店裡！就連雷小璐也是在何芳眞離開後才不見的！」

夏玄允點頭如搗蒜，「對對對，無論如何都不能離開店裡！」

「所以，」馮千靜突然意識到什麼，「那些女生的消失一定會有什麼線索，讓外面的人聽到對吧？如果一切都能無聲無息，他們爲什麼一定要在對方落單時做？」

換句話說，如果會有聲響，不管是物品的聲音、或是被害者的尖叫，都表示在綁走女孩時，絕對會引人注意。

「這點我想過了，但他們似乎也有挑選機制。」劉品娜雙手一攤，「看看我就知道了，一個人進了試衣間，現在卻能出現在這兒，表示有類型喜好。」

「說不定知道妳有備而來。」夏玄允驀地迸出特別的見地，「如果是都市傳說的話……」

劉品娜微笑著看向夏玄允，「你眞的認爲是都市傳說？」

夏玄允跟郭岳洋同時用力的頷首。

她莞爾，雖說疑點重重，但是在劉品娜心中還是認定那是一個人口販賣集團，她的朋友不知道被賣到什麼地方去了，沒有比異國旅客更好綁架的素材了，四十八小時內就錯失黃金救援，說不定這四十八小時內就已經離開了該國。

只是她沒想過，國內也會發生這樣的事。

「這張照片是我朋友，她叫方妍華，特色是頸子下有一個花型的痔。」劉品娜指指桌上的照片，「我不求太多，如果有看到她的話，請告訴我。」

眾人沉悶的點點頭，但又爲這友情感動，十年了，這個律師沒有放棄過尋找朋友嗎？

劉品娜站起身，一一向大家告別，轉身走出門口，馮千靜沉吟數秒，突然間衝了出去。

「服飾店附近的那間鬼屋妳有去過嗎?」馮千靜突然開口。

她愣了住，幽幽回首，「妳是說最近很夯的黑暗莊園?」

「是，雷小璐就是在那間鬼屋裡拿到服飾店的禮券，才去那間店的。」馮千靜深吸了一口氣，「我覺得鬼屋可能也有點問題。」

「眞的?」劉品娜蹙眉。

「我說不上來，但我總覺得鬼屋跟服飾店有關聯……裡面甚至疑似有眞人假扮的雕像，讓我很不舒服。」馮千靜筆直上前，「有空的話您可以去一趟，然後——不管哪些鬼或是雕像開口說什麼，請一律只要回答一個字。」

劉品娜皺了眉，「說什麼?」

「Oui!」馮千靜湊前，低語著路線，「妳可以到處亂逛，但最後請試著走這條路出來。」

劉品娜聽著，點點頭。

「我明白了。」她泛起微笑，「謝謝。」

「請小心!」

她只是招招手，轉身俐落離開。

望著她的背影，馮千靜覺得自己非常瞭解她的心境，那種失去朋友的遺憾，那種明明前一秒還看著、下一秒就消失的錯愕感，也在她心頭盤繞。

或許不只劉品娜該去那鬼屋瞧瞧，她也該再去一次對吧？

何芳眞站在服飾店門口，望著那換過新裝的模特兒，緊張的深呼吸。

雖然她親眼看過試衣間、也看過倉庫，但是她還是不死心，雷小璐一定是在這裡不見的，這間店到底在幹什麼勾當、還有什麼祕道，她無論如何都得挖出來，把雷小璐找出來！

在門口傳LINE給蔡孟宏他們，告訴他們，她要去買衣服了。

「歡迎——」店員聽見風鈴聲燦爛回首，卻又一秒凍結，「同學，妳——」

「我來買衣服。」何芳眞不以爲然的說著，「不做生意嗎？」

「啊……抱歉。」店員正妹趕緊露出尷尬笑容，「喜歡就拿起來看喔，現在全店都有特價。」

何芳眞慢慢的逛著，眼神其實在留意每個角落，推推櫃子，拿起牆上的飾品時也刻意用力推了一下，不過都沒有她期待的密室或是密門；選了一套衣服，她走向試衣間。

站在門口，她卻突然很遲疑，這半坪的小方間，給了她無盡的恐懼。

「要試穿嗎？」店員親切的過來。

「嗯……」她還是點了點頭。

踏進試衣間的那一步，對何芳眞而言十分沉重，她全身微微顫抖，好不容易才完全走進，一走進，店員就爲她將門關上。

門叩上的那瞬間，何芳眞還微顫身子，用發抖的手把上頭的門栓關上。

一個人站在這裡，她緊張的原地轉著圈，試衣間眞的很小，放輕腳步的走到倉庫門那邊，使勁推推，門是上鎖的。

再怎麼看，這都是一間普通的試衣間，何芳眞仰起頭，看著門板距離天花板還有三十公分左右，也不是全然密閉的空間，卻還是讓她打從心底覺得不安。

將身上的背包掛上右手吊勾，再開始更換衣服，她得要走一次雷小璐的歷程，或許能知道有什麼不同之處。

冬天的衣服有點厚重，何芳眞陸續的把外套跟毛衣脫掉，最後再脫去那件發熱衣，當上半身只剩內衣時，她突然覺得空氣變冷了，忍不住打了個哆嗦，回頭看著後方，爲什麼覺得好像有股冷風？

抓過剛拿的上衣套在身上，再開始彎身脫去褲子，結果忘記褲子口袋有放零錢，這麼一捲一脫，零錢鏗鏘的掉了一地。

「啊！」她尷尬的輕叫著，聽著零錢叮叮咚咚，逕自吐吐舌，「哎唷！」眞糟糕，何芳眞抱著褲子蹲下身趕緊拾撿一地的零錢，錢滾得到處都是，然後在角落的縫隙裡，她突然看見了什麼發光的物品。

嗯？何芳眞把掉落的一元硬幣拾起，然後使勁用指甲摳著卡在牆壁與地板縫裡的東西，那東西卡得很下面，要不是因爲撿錢的角度，否則誰都看不見吧！

用手完全拿不到，她索性起身從包包裡拿出鉛筆盒的尺，順道把牛仔褲給掛上去。

尺剛好伸進那隙縫裡，好讓她摳出藏在裡頭的玩意兒。

專心的挖著神祕物品，她絲毫沒有留意到，外頭曾幾何時已經沒有了車聲，也失去了店員的聲音。

挖到了！何芳眞喜出望外的捏住一角，將細長的黑色物品拔出，她趕緊放到眼前瞧——那是個黑色髮夾，上頭黏著一個白色的圓鑽。

這小巧的髮飾，曾經夾在雷小璐的髮上！

喝！何芳眞不可思議的看著手上的髮夾，這是小璐的！雖然這類型的髮夾很多，但這不該是巧合！小璐就是在這間試衣間試穿衣服，一定是脫毛衣時掉進那隙縫裡的！

這就是證據！

她立刻起身拿出口袋裡的手機，迅速的拍下照片，要馬上傳給李彥樺他們！傳送照片，視窗跳到LINE的地方，何芳眞卻突然發現……她剛剛在門外傳的訊息並沒有傳出去。

咦？訊息前都有個驚嘆號，代表著未傳送，往上看向收訊，居然顯示無通訊！

怎麼會……這裡收訊這麼差嗎？

才在驚訝，突然間背後有人戳了她兩下！

「呀！」何芳眞整個人幾乎是跳起來的，手機差點滑落地上，她倏地回過身子，後頭卻什麼都沒有。

背貼著門板，剛剛那感覺沒錯，是有人戳她後背的感覺……這裡是試衣間，只有她一個人啊，有誰會戳她？

轉回身她急著拉開門閂，先出去再說——咦？何芳眞使勁拉著門閂，卻無論如何都拉不開。

怎麼回事？「喂！開門啊！喂！」

門外毫無聲響，何芳眞慌張的拍打著門，即使用力撞門，那扇明明很薄的門卻也不爲所動。

「報警……報警！」她趕緊低頭要按手機，肩上卻突然一個重擊——有人拍了她的肩！「哇啊！」

這聲尖叫響徹雲霄，她手機直接摔落地，人嚇得彈到門的另一邊角落，因爲剛剛那拍肩是從吊勾的地方伸過來的！

拍肩這種事，還能有錯覺嗎？

全身抖得不停的何芳眞貼在門的右邊角落，望著眼前那應該吊滿她的外套、衣服跟包包的地方，現在居然什麼都沒有了！

只有空白的牆壁，連吊勾也沒有，唯一剩下的，是突出於牆壁的一隻手！宛如石膏的手，只有手肘到手指的部分，做出一種攫抓狀，就嵌在牆上。

「什麼……什麼人!?」她哭喊了起來，「我的東西……誰？你們是——」話還沒喊完，地板陡然一斜，何芳眞來不及反應，直接就朝著底端滑下去了！

「不不——」地板成了溜滑梯，她即時拉住了鑲在牆上的那隻手。

這一抓，她瞪圓了雙眼……手是軟的，甚至有著溫度，那真的是活人的手？

「啊啊……」她的腳突然踩空，低首一瞧，地板根本整片都不見了！

那半隻手根本抓不住，雙腳全懸空的她再也抓不住任何東西，就這麼筆直的掉了下去。

「哇——」

咚！

沒有想像的疼痛，緊皺著眉的何芳眞落在柔軟的物體上，她緊繃著身子握緊雙拳，發現自己還有知覺，也還能感受到聲音。

緩緩睜眼，發現自己落在柔軟的大坐墊上，有點疼，但是並沒有受傷。

仰首，燈光是從上頭的方形空間透進來的，便是試衣間的燈光，只是這燈沒持續太久，試衣間地板緩緩關起，何芳眞不可思議的看著上頭，她覺得這地下室的距離，好像有好幾層樓那麼高啊！

慌亂的站起，她急著想要搞清楚這是哪裡，伸手一摸，卻觸及了冰涼。

咦？何芳眞戰戰兢兢的再摸了一次，欄杆？不對！她用掌心掃了過去，感覺到一整排的冰冷鐵欄杆，這是籠子！

「啊啊！」她驚恐的叫著，伸手探索，發現自己身在籠子裡，四面八方全部都是鐵籠！「放我出去！放我出去！」

她雙手握著欄杆，死命的搖晃著。

咚——突然前方的燈亮了兩盞，雖然依然昏暗，可是卻隱約的可以看見一個壯碩的人影。

何芳貞嚇得鬆手，向後退著，只是才退了一步，就絆到軟墊而跌落。

這是哪裡？這到底是怎麼回事？何芳貞完全無法思考，貼著欄杆聽著前頭窸窸窣窣的聲音，像是有人在說話，又有著東西在拖曳的聲響。

沙……咿……沙……咿……明顯的拖曳聲自前方傳來，還帶著鐵鍊聲！讓何芳貞往角落縮去，戰戰兢兢。

「不漂亮，身材也不好，有點胖。」黑暗中傳來年輕人的聲音，「也做成不倒翁好了。」

不倒翁？何芳貞鼓起勇氣，「什麼不倒翁!?我告訴你，我朋友知道我來你們這裡的！你們別以爲逃得過！」

空中傳來笑聲，不只是一個人，有男有女！

「妳也知道妳朋友來這裡噢！」重疊的訕笑聲不停傳來，「但妳能做些什麼？嘻……嘻嘻……」

什麼？「雷小璐在哪裡？妳們把她怎麼了？」

「姊妹不倒翁……呵呵……」

「好可愛喔，搖呀搖啊都不會倒……」

到底在說什麼，什麼不倒翁!?何芳眞慌亂得不知如何是好，她手機呢？她開始四處尋找，既然跟她一起掉下來的話，手機應該在她附近啊！

摸索著，卻看見了右手邊的籠子裡，有一個熟悉的人影。

彷彿是刻意的，隔壁籠子上的某盞燈亮了，只有五燭光的亮度，卻還是能讓她看見那張臉。

雷小璐躺在地上，頭頂向著她的方向，看上去是如此虛弱又慘白，奄奄一息。

「小璐！雷小璐！」何芳眞立刻握住欄杆搖晃出聲響，「醒醒啊！我是何芳眞，妳聽見了嗎？雷小璐！」

鏘鏘，欄杆的聲音作響，雷小璐忽然蹙眉，緩緩的睜眼，「嗯……」喉間逸出了痛苦的聲音，她彷彿嫌燈光刺眼似的，先是閃躲著遮眼，然後才又往上看。

頓時間，她瞪大了雙眼。

「咿嗯嗯嗯！」她激動的扭著頸子，像是側過了身，說著語焉不詳的話。

但是她沒有坐起來，雷小璐只是用驚恐的雙眼望著她。

何芳眞看著地上的雷小璐，這才看清楚她爲什麼沒有坐起身，因爲她根本沒有辦法動彈。

雷小璐沒有雙手、也沒有雙腳，兩個肩頭跟大腿根部都裹著厚重的繃帶，在她激動昂起頸子的瞬間，她也瞧見了頸部的傷口。

「啊啊啊……」雷小璐喊著，張大的嘴裡沒有舌頭。

不倒翁……沒有手腳的雷小璐搖晃的畫面，一瞬間閃過何芳眞的腦海裡。

同時間，刺耳的電鋸聲驀地從籠外傳來。

「姊妹……不倒翁？」何芳眞瞪圓了雙眼看著雷小璐。

不不不！眼淚飆出雷小璐的眼眶，不停的搖著頭。

「嗯嗯嗯！」妳爲什麼要找到我！爲什麼要找到我啊！

「不不不！」何芳眞緊抱著頭，拼命的躲藏到角落，這是夢！這太誇張了！怎麼可能眞的有這種事，「我不要——」

第五章 進入試衣間

「何芳眞失蹤了？」

馮千靜飯吃到一半整個人跳起，腦子裡一片空白，聽著外頭的嘈雜，簡直不敢相信。

「這是怎麼回事？」夏玄允焦急的問，「確定是失蹤嗎？」

「已經報警了！」蔡孟宏面有難色，「她前天就沒有回到住處，我們找她都沒回覆，結果打電話到她房間，室友說兩天沒回去了。」

下午三點多，馮千靜好不容易才有空堂可以吃飯，社團裡的人也三三兩兩不甚多，她便拎著便當到這兒來；「都市傳說社」人數眾多，社辦自然大，毛穎德知道她不喜歡與人接觸，所以貼心的利用鐵櫃與牆隔出個小空間，好讓她可以躲在那兒，不會與任何人照面。

原本是來瞭解有沒有最新進度的，林詩倪跟黃宏亮他們都分別去過那間服飾店了，可是沒有發現什麼異狀，而警方那邊也毫無進展，最誇張的是監視器調閱出來，那段期間居然是波浪般的畫面，像是受到強力電磁波干擾，什麼都瞧不清。

天底下就有這麼巧的事？他們一行人去服飾店時就什麼畫面都沒有？

「她應該是去找雷小璐，從她失蹤後就一直坐立難安！」李彥樺不耐煩的唸著，「我跟她說就交給警方，她就是不聽！」

「有聽過她打算去哪裡找嗎？」毛穎德的聲音突然傳來，馮千靜探頭往外望，他下課了喔？

「她有空就到那服飾店附近繞啊，她認為雷小璐一定在那間店裡。」蔡孟宏嘆了口氣，「她相當自責，總說是因為她跑來找我們才發生事情……那這樣說起來，我們好像也有錯。」

「天曉得會這樣！怪我們喔？」李彥樺顯得不耐煩，「人不見了我們也很難過，可是她跟著魔一樣，雷小璐不見那天晚上根本整夜都沒睡，拉著我們一直分析到底人會去哪裡，講了一晚的電話。」

「感情好吧！而且她也很難接受前一秒還在的同學，卻在下一秒消失。」毛穎德放下包包，「最後跟你們聯絡是什麼情況？講了什麼？」

夏玄允趕緊跑到白板邊去準備記錄，郭岳洋這堂有課人不在，要不然他一定會記錄詳盡的。

「就前晚，她說她想再去新涉谷區一趟，問我們要不要去。」李彥樺拿出手機，有些欲言又止，「我們……我們覺得有點煩，都沒陪她去。」

手機點開，的確是類似的對話，毛穎德滑到最後一則：『我要再去那間店看看。』

此後，就是蔡孟宏跟李彥樺問她在哪兒的訊息，全部未讀。

「爲什麼不想陪她去？」馮千靜從櫃子後走了出來，「結果竟然變成她一個人落單！」

唉，蔡孟宏果然皺起眉，一臉難受，「我們也不知道她會出事啊！對……雷小璐是同學，可是我們也沒有那麼好，失蹤是悲劇，我想有警方處理就好了，我們、我們能做什麼？」

「是啊，說穿了也是剛認識而已，能做的我們都做了，總不能因爲她影響我們的生活吧！」李彥樺說得坦白，「誰都不希望這種事發生，可是我們的關係還沒到什麼莫逆之交……我實在沒辦法費這麼大氣力去找她。」

「嗯嗯，合情合理。」毛穎德把手機還給李彥樺，「不過何芳眞跟雷小璐也剛認識沒多久，她倒是有義氣多了。」

蔡孟宏跟李彥樺尷尬的別過頭，他們覺得煩躁疲累，眞的不想再爲雷小璐的事耗下去；何芳眞跟她關係多好他們也不甚清楚，這種事本來就應該是個人選擇吧？

他們都希望雷小璐平安無事，可是像何芳眞那樣沒日沒夜的尋找，眞的辦不到，也不想假裝。

「可能多少有自責吧！」馮千靜幽幽出聲，「有一種——如果我不離開，雷小璐就不會出事的感覺，所以何芳眞她才非找到不可。」

毛穎德望著她，這大概也是馮千靜的想法：如果我陪到底，是不是雷小璐就不會失蹤？

「早知道的事情太多了，不該爲此糾結。」毛穎德倒是泰然，「我只希望不要再有下一個。」

「林詩倪他們都去過那間服飾店，也沒發現什麼異狀……」夏玄允也陷入了死胡同，「可是你們現在又說何芳眞不見了……她確定去了那間服飾店嗎？」

「現在已經報警了，但是我們沒有證據她是在那間服飾店失蹤的，警察不能去裡面查。」蔡孟宏頹然的坐了下來，「思前想後，我們想起何芳眞曾說過要來找你們，看對於這個都市傳說瞭解多少。」

「我們瞭解得很少，但是也足夠了。」夏玄允難得嚴肅，「我很怕她們是找不回來了。」

兩個男生當下倒抽一口氣，詫異於夏玄允怎麼能說這種話！

「怎麼樣？」毛穎德突然問了站在兩公尺遠、那個倚在櫃子邊的女生。

馮千靜沉吟著，內心正在掙扎。

「喂，毛毛，別這樣！」夏玄允居然出聲制止，「這種事不要亂試啦，很可怕的！」

蔡孟宏跟李彥樺聽得一臉迷糊，「試什麼？」

「好吧！」馮千靜打斷了他們的疑問，「等我吃完，我們就去買衣服吧！」

咦？蔡孟宏瞪圓了雙眼——她要去探查那間服飾店？

「小靜！」夏玄允心裡的不安湧起，「林詩倪他們都去過了，眞的沒有……」

「又一個人失蹤了，我眞不信什麼都沒留下，林詩倪他們進去過，可我還沒有。」馮千靜瞅著毛穎德，挑起一抹笑。

是是是，毛穎德無力極了，他也還沒有。

這莫名其妙的肉咖靈異體質，就看能不能感受到什麼正常人感受不到的東西吧！

晚上吃過飯後，毛穎德跟馮千靜雙雙來到了新涉谷區，一出站就可以看見「黑暗莊園」的旗子隨風飄揚，正前方就是大樓入口，那兒擠滿了人，時間沒到也還不能上樓，但看得出場場客滿，絡繹不絕。

服飾店在鬼屋這棟樓後方的曲折巷弄間，他們兩個一組，夏玄允與郭岳洋一組，刻意不一起行動，因爲夏天他們得在四周觀察所有不正常的異狀，錄影拍照都行，有時肉眼看不到什麼。

毛穎德一走到大路時，表情就不對勁，滿地的黑色結晶體隨風飄滾，他詫異的往前望，幾乎整條道路到處都是，它們像碎石子般存在於路上，這些東西上次來時並沒有啊！

「有怪怪的嗎？」馮千靜看他的神情便知一二。

「有，這附近都不對勁，路上都有邪惡不祥的東西……」毛穎德說話說到一半，來到前往服飾店的小巷子口時，忍不住止步，「我的天哪……」

這巷子因爲各家遮雨棚擋去光線而略顯昏暗，加以一樓店家又停機車又擺商品的，巷子看起來更加擁擠，在毛穎德眼中的確是一條再正常不過的巷子，只要扣掉黑色結晶體的道路以及讓他雞皮疙瘩滿身的氛圍。

「怎麼了嗎？」馮千靜望著巷子，她本來就沒什麼感覺。

「說不上來……看！」他挽起袖子，不只雞皮疙瘩竄起，連汗毛都是站立著的，「我打從心底覺得不舒服，平常我如果看見這種情況，我一定扭頭就走。」

「那正好。」馮千靜肯定的點頭，「就表示方向沒錯！」

她一個箭步上前就走進了巷子裡，毛穎德不禁嘆氣，是是是，格鬥者就是個往危險去的工作，越危險越刺激是吧！看看這女人一點懼色都沒有，背挺得要多直有多直，而且還有股殺氣。

小巷彎曲複雜，右轉一次、再左轉，才能見到那位在角落的服飾店。

他們沒有貿然靠近，而是遠遠的盯著，櫥窗裡的模特兒依然擺著同樣的姿勢，身上換了別套衣服展示。

「手機測試。」馮千靜拿出手機撥打給就在身邊的毛穎德，電話響起她就切斷。

兩個人再互傳LINE，通訊一切正常。

「走吧。」馮千靜摘下口罩，準備好後，就直接前往服飾店。

老實說，那種無懼又閃閃發光的魅力相當迷人，他有點理解爲什麼郭岳洋會很迷身爲格鬥家的小靜了。

馮千靜在門口挑選著吊在衣架上的衣服，毛穎德則直接打量著櫥窗裡的模特兒，看著男士衣服，店員果然很快的出來。

「歡迎光臨，喜歡都可以試穿……」店員微笑一凜，「同學！事情我們都交給警方了。」

馮千靜手顫了一下，才緩緩取下衣服，回頭看著店員，「我要試穿。」

這樣都能認得她!?她之前到這間服飾店時，全部戴著口罩啊！

只見店員不耐煩的扁了嘴，很勉強的請她進去，旋即轉過一百八十度，看向了站在左邊櫥窗前的毛穎德。

「有喜歡的嗎？我們男裝也很好看喔！」

「嗯！」毛穎德笑看著她，「我也可以試穿嗎？」

「可以，全店都能試穿！」店員笑吟吟的抵著門，好讓毛穎德能進入。

早先進入店家的馮千靜又挑了一些配件，另一個店員也是皺著眉瞅她，彷彿她是來找碴似的；而毛穎德繞了一圈後，站定在櫥窗模特兒的背後，伸手就是一指，「我要這件。」

「好的！」店員親切的笑著，「同學穿什麼尺寸？我去幫你拿。」

毛穎德報了尺寸後，店員立刻從試衣間裡進去，倉庫在裡頭大家都知道，此時馮千靜指了女模特兒身上的洋裝，「這件洋裝有嗎？我也想試穿。」

「啊……有，在這邊。」櫃檯裡的店員趕緊走出，笑得極爲勉強，越過馮千靜往牆邊的一排衣服走去，「洋裝共有三種顏色，您想要哪種呢？」

就是現在！毛穎德伸手往男模特兒的頸子摸去，取下它頸子上的圍巾，趁機觸及它的頸子——「聽得見嗎？」

「同學！」後頭驀地一陣驚呼，幾乎是尖叫般的驚恐，「請不要動我們的模特兒！」

毛穎德嚇得收手，錯愕的回頭看著正在幫馮千靜拿洋裝的店員，「我……我是想看這條圍巾……」

店員眞的是氣急敗壞疾步走來，手上還拿著馮千靜要求的洋裝，「這邊有寫你沒看到嗎？請勿動手！想看什麼我幫你拿！」

店員指著模特兒背上的小牌子，他當然有看到，只是裝作看不見而已。

「我沒注意，抱歉！」毛穎德趕緊道歉，「我只是想說只是一條圍巾……」

店員顯得相當生氣，勉強揮揮手說：「下次請不要這樣。」然後再擠出痛苦的笑容問他，「要看圍巾嗎？」

另一個店員也倉皇的從倉庫步出，這感覺彷彿那個模特兒是純金打造的，異常珍貴咧！

而且兩個正妹店員的眼神裡盡是擔憂與忿怒，可是很妙的是她們臉上竟然完全沒有表情……看起來皺眉，但是眉間沒有皺紋，仔細觀察，連笑的時候都沒有笑紋。

「怎麼了嗎？」店員A問著。

「這先生要看圍巾，從模特兒身上拿……」店員B神情感覺更凝重了，眉頭都皺起了卻還是不見紋路。

「我都說對不起了，有必要一直婊嗎？」毛穎德突然不客氣起來，「不然要我怎樣？買下那條圍巾嗎？還是……」

「不是這樣！同學你不要這麼大聲！」店員A連忙緩頰，「她只是激動了點，因爲有人會破壞模特兒身上的衣服，所以……來，別生氣，要圍巾是嗎？我拿給你！」

她靈巧的走到櫃子前，蹲下身拿出一排圍巾，「四種顏色，要跟模特兒身上一樣的嗎？」

「嗯，我喜歡那條深藍色。」

毛穎德指指圍巾，店員A立刻把圍巾跟衣服都準備好，而臉色難看店員B這才留意到手上的洋裝，趕緊繞過櫃子，走到另一邊的馮千靜身邊。

「對不起，剛剛有點混亂，您的洋裝。」

「嗯。」馮千靜接過，指向就在左手邊的試衣間，「我先進去試穿了。」

「請。」店員B客氣的服務著，馮千靜毫不猶豫的踏入，門外的毛穎德暗暗捏一把冷汗。

「先生要試穿嗎？」店員A殷勤探問。

開什麼玩笑！兩個都進試衣間還得了？他們看起來像肥羊嗎？「不，我再看看。」

他掛著微笑，靠在店中間的櫃子上，翻閱著放在上頭的照片；許多服飾店會有著該廠牌的媽豆照，可以讓客人看到衣服的搭配跟模樣，這樣找衣服倒是挺快的。

進入試衣間的馮千靜並沒有動作，她只是站在原地，闔上雙眼，淨空自己的心……專心，馮千靜，那四面八方的視線，她應該能感受得出來。

那天感覺到的目光，今天居然全然消失，她感受不到注視，也沒有敵意。

重新睜眼時，依然沒有感受到什麼，她開始更換衣服，將包包取下吊掛在掛勾上，整個轉過身，在狹窄的試衣間裡走著，站在那倉庫門前，雙眼銳利的盯著，開始更衣。

一直有風吹進來，她感受到細微的空氣流動，打直裸露的左臂，就能覺得有很細的風吹在手臂上，怪了……手指往牆上摸去，輕輕滑動，指尖終於觸及了不平滑。

牆上有縫!?馮千靜趕緊用指甲再滑一次，從尾端走到門後，不過數步距離，但是清楚的感受到喀喀喀的聲音。

「同學，妳穿好了嗎？」門外突然傳來店員B親切的聲音。

「還沒。」馮千靜敷衍的回答，同時用左手再試了一次。

牆是一塊一塊的嗎？只是木板隔間，為什麼要用一塊塊的木板來組合？馮千靜直覺不對勁，很想扳動，但是感覺得到店員可能已經起疑。

疾速的換上洋裝，手忙腳亂的卻把衣架子落到地上。

「啊！」她輕哀了聲，趕緊彎身拾起。

「還好吧？」店員B一直就站在門口。

「沒事沒事！」她趕緊把衣架掛上，穿著洋裝打開門門步出。

對面的毛穎德抬頭瞥了她一眼，馮千靜換穿一件素淨的白色洋裝，紅色拼接裙襬，看上去很俏麗……如果她摘掉眼鏡，梳整頭髮，用「小靜」的模樣，應該很適合。

「很好看耶！」店員B稱讚著，「外表看不出妳這麼瘦耶，不過這件洋裝腰部具彈性，所以不至於太鬆！」

在鏡子前隨便轉個圈，她也不多話，又走進試衣間想換下一套。

拉上門閂時，她感覺到了！馮千靜緩緩回首，有人在看她！

從哪裡呢？那天她也是這種感覺，明明什麼都沒有的牆，小小的試衣間裡，怎麼會有什麼人在注視？

她緊握飽拳，怎麼會沒有？那一條條的縫裡，不就正好是個偷窺點嗎？

馮千靜張開手掌，輕輕的壓在一面牆上，閉起一隻眼，打算湊上前去，看看這木板縫裡，究竟藏有什麼東西——

叮！身後掛在勾子上的包包響了一聲，緊接著就是電話響起，馮千靜輕嘖一聲的回身去接電話，是誰這時候打來啦!?

果不其然，是蔡孟宏，「喂！是，我在試穿衣服，別吵。」

剛剛馮千靜原本要窺看的縫裡悄悄的伸出了一根指頭，努力的、拼命的想擠過那窄小的細縫，鑽動著……

切斷電話的第一時間，馮千靜倏地回頭，盯著那片靜如止水的白牆。

奇怪？她明明聽見什麼的。

「需要幫忙嗎？」店員B又在催了。

唉，馮千靜再匆匆換上剛拿的襯衫，套回自己的褲子，真是緊迫盯人，不過她待在試衣間裡的時間眞的太久……噠。

咦？她怔了住，再度回身往地板瞧去，爲什麼好像聽見什麼東西掉了？趕緊掏掏口袋，沒掉什麼啊……她決定先開門出去，店員B的眼神非常明顯的打量了試衣間裡，好像怕她做了什麼手腳。

馮千靜換上的是蘋果綠的襯衫，毛穎德照例瞥了眼，又佯裝沒事的低下頭繼續翻閱他的型錄。

「同學，有看到喜歡的嗎？」店員A親切再次探問。

「不必了，就這兩個幫我包起來吧。」毛穎德突然不願試穿，直接買了那件毛衣跟圍巾。

裡面的馮千靜聽見這番話，加快了換衣的動作，毛穎德暗示走人，表示此地不宜久留！

是她換太久太過明顯了嗎？她趕緊整理好衣服，把包包揹上身，沒忘記再低首巡一下地板，剛剛眞的聽見有東西掉落，多檢查一下也是好事……地板沒有縫隙，是一整塊的木板，這反而跟外頭的木條地板相差很大。

刻意在試衣間裡改成這種整塊木板又是爲什麼？這間服飾店怎麼處處都詭異？

就在她要起身的那一刻，她突然看見了在角落那張椅子角落邊的閃耀物品。

「同學，喜歡嗎？」

店員B簡直黏在試衣間門前，一開門就能見到過度逼近的她，馮千靜搖搖頭，「抱歉，我再看看。」

「那件洋裝不喜歡嗎？很襯妳耶！」店員B一臉惋惜。

「謝謝。」她隨意頷首，毛穎德正拉開門離開，店員A、B在櫃檯裡說著謝謝再見，她後腳跟了出去。

兩個人刻意分走左右兩方，馮千靜往左邊前往輕軌站，毛穎德朝右先去找夏玄允他們會合，再一起回到輕軌站。

毛穎德找到夏玄允時，他正在附近隨拍，反而是郭岳洋在距離夏玄允十公尺處，蹲在那兒一動也不動；毛穎德走到他身後，他正在兩棟建築物中間的縫隙中，不過十五公分寬的距離，連防水巷都稱不上的水溝。

「要走了嗎？」毛穎德在後面問著。

郭岳洋嚇了一跳，回首站起身，用力點著頭後三個人才一塊兒走。

「我全拍了，沒發現奇怪的地方，隔壁的店面看起來很正常，附近也沒什麼特別，這邊的店面都超擁擠的，找不到多餘的空間啊。」夏玄允一張張檢視著照片，「除非隔壁店面或他們樓上是共謀！」

「樓上啊……」毛穎德仰首，才留意到這可是四樓舊公寓。

「有沒有可能是樓下呢？」郭岳洋有點遲疑的開口，「唯一能想到的空間，就是地下了。」

毛穎德與夏玄允不約而同的轉過來，詫異的看向郭岳洋，「樓下？」很特別的想法啊！

他們只著重在前後左右或樓上，的確完全沒思考過樓下！

「這一帶建築有地下室嗎？這很難講啊，前面好多間店本身就在地下室的！」夏玄允趕緊跑到郭岳洋身邊，握著他雙肩拼命搖，「洋洋，你好聰明喔！你怎麼會想到？」

「啊啊啊……」郭岳洋被搖到都快暈車了，「停停……唉唷，我只是看到水溝的水怪怪的。」

「水溝？」毛穎德突然停下腳步。

「嗯，水明顯的往下流，就是往店前門流去……而且……」郭岳洋趕緊拿出相機，「我不會說，我知道水本來就會往某個方向流動，可是那些水還同時往服飾店前方流去，像個方型的水槽，外圍高中間低，水就由外往內匯集。」

他的手自外而內，由高而低，劃出一個圓弧的V。

「這樣只能說服飾店的位子比兩旁都低。」毛穎德搖搖頭，「這還不足以證明什麼。」

「它墊高了耶！」夏玄允不以爲然，服飾店硬是比旁邊店家都高出一階，而且水匯集的情況也太怪了？

馮千靜站在輕軌站前廣場，一邊看著鬼屋樓下的人潮，一邊留意著前來的他們。

「小靜，試穿愉快嗎？」夏玄允亮著一雙眼問。

「很愉快。」她挑了挑眉，「毛穎德你幹嘛不試穿，不是說好再試另一間的嗎？」

「妳在裡面待太久了，妳不知道外面那兩個正妹有多坐立難安，我甚至都要懷疑試衣間裡有監視器了。」毛穎德相當無奈，「而且哪有男生挑衣服挑這麼久的啦，我等妳都換完才進去試衣間就太怪了。」

「監視器？說不定呢，牆上是多塊木板組成的，總感覺縫裡有人在看我。」馮千靜挑了挑眉，「我們好像想得太複雜了，說不定整間店比我們看到還大。」

「嗯？」夏玄允腦子動得極快，「妳是說……牆壁裡有人？」

仔細想想，試衣間是在角落，兩邊都是吊掛衣服的地方，誰曉得後面有多少空間？

如果整間店刻意在裝潢時每一邊都縮小一點，要藏人或放東西也就容易多了吧！警方上次搜查時，不可能鑵開人家的生意場所對吧？

「回去談吧，影片、照片，還有妳把看到的畫出來。」毛穎德只想離開這裡越遠越好，那黑色的結晶體一路到輕軌站的階梯上都存在啊！

「我也想去試穿啊！」夏玄允一臉惋惜。

「你太容易漏餡了。」郭岳洋中肯的說，「只差沒直接問店員，妳們這裡是人口販賣處嗎？」

光是探查的行徑、過度閃亮的雙眼，都立刻會被抓包的。

「哼！」夏玄允踩上往下的電扶梯，跟郭岳洋拌嘴起來，直說他被誤解了！認真的時候他可是比誰都厲害，「我……咦？欸……」

後頭的馮千靜仰首回身，「圍巾的事怎麼了？」

「模特兒觸感像人的皮膚，但是很冰冷，我不能確定是橡膠還是真人。」毛穎德彎身驅前，附耳在旁，「但是我在碰觸頸子時，插了根釘子。」

「耶……」馮千靜難得雙眼閃出光芒，「這樣如果流血的話……」

毛穎德自負的點點頭，「我沒敢拿出來，一得手就放進口袋的衛生紙裡。」

他一邊說，一邊開始往口袋裡探。

「我除了屋子結構外，還撿到一個東西——」她自離開店家後，右手一直握拳沒打開過，「而且我懷疑是有人在縫中丟出來給我的。」

什麼？毛穎德抓到了衛生紙，用指尖捏著拿出來。

電扶梯適巧到了平地，他們先行往前，在匣口不遠處停下。

馮千靜攤開掌心，毛穎德拿出了圖釘。

一邊掌心上是個單鑽髮夾，而另一邊的圖釘末端，是紅色的。

「咦！」夏玄允瞅著，不禁嚇了一跳，「這個不是雷小璐那天夾在頭髮上的嗎？」

馮千靜用極讚許的眼神望著他，「天哪！你記憶力眞好！」

「在哪撿到的？毛毛，你這是什麼？爲什麼都是血？你拿圖釘去扎自己嗎？」

夏玄允疑惑的望著染著血的圖釘，不時檢查著毛穎德的手。

「這是門口模特兒的血，」毛穎德這時都不得不佩服夏玄允他們的狂熱與敏銳，「他們眞的是人。」

夏玄允先是呆愣兩秒，接著要不是毛穎德及時摀住他嘴，只怕他就要在輕軌

站裡尖叫狂喜了。

好多事情瞬間有了眉目，一行人帶著複雜的心情坐輕軌回到學校，只是才出車廂，就看到熟悉的身影從樓下奔上來，車廂門剛好關閉，他們錯失了這班車，氣得在那邊懊惱大叫。

「黃宏亮！」郭岳洋趕緊湊過去，「還有李彥樺，你們什麼事這麼急？」

「咦？」李彥樺詫異的轉過來，望著他們幾個，激動的臉色漲紅，「蔡孟宏、蔡孟宏他說也想去那間店看看！」

「什麼？」毛穎德以爲自己聽錯了！

「他打工回來路上打給我，想在中途下車去看看。」李彥樺緊張的低吼著，「我一直跟他通話，叫他不可以進去……但是半小時前，收訊就斷了！」

「半小時前……」馮千靜訝然，「我們正要從新涉谷區回來……」

「咦？所以我沒有看錯囉！」最後頭的夏玄允突然出聲，「剛剛我們在新涉谷進站時，我好像看到蔡孟宏了！我還以爲我看錯了呢！」

第六章 消失的……

蔡孟宏關上門時，用力咽了口口水。

他刻意挑了不是倉庫的那間試衣間，手裡緊緊握著V領針織毛衣，仍舊不住的發抖。

他知道這麼做很蠢，但是、但是不這樣來一趟，他又覺得於心難安。

他跟雷小璐並非摯交，但許多課都跟雷小璐同班，所以一起上課一起吃飯，都是日常生活的一部分，就算沒十分要好，可至少也是不錯的朋友吧。

看著何芳眞爲了找雷小璐落到下落不明，他就會想，自己是不是太不仗義了？

那天他跟李彥樺去排隊買咖啡，明明可以自己走回服飾店拿折價券的，卻是懶得走才CALL何芳眞，也因此雷小璐才會消失；可誰會想到買件衣服會買到不見！什麼怪異的都市傳說，他連聽都沒聽過，並不是故意的啊！

愧疚感他當然也有，李彥樺也是，只是大家一直想否認罷了！現在連何芳眞都不見了，到底是不是這間服飾店的問題？還是她們被盯上了？

就算做這些事沒有實質效益，他還是非做不可，不做他又無法心安，覺得自己像冷血動物，只會做壁上觀。

他沒在怕是因爲離開輕軌站前，他還在跟李彥樺通電話，他想到那間服飾店去看看，所以有人確切知道他的下落……還有他研究過這個都市傳說，消失的都是女性，並沒有男的。

這個販賣集團，似乎是針對女性的。

脫下外套掛上吊勾，蔡孟宏一件件脫著衣服。

這是一種補償心態吧，他其實很沒用，恐懼的不敢選有倉庫的試衣間，總覺得倉庫裡躲著什麼，背對著怎麼會知道？

這樣或許什麼忙都幫不上，蔡孟宏自己都不知道怎麼解釋，好像是當別人質問起來時，他可以抬頭挺胸說：我不但有去找過了，還親自去那間服飾店的試衣間看過了喔！

是這樣嗎？脫下上衣的蔡孟宏悲傷的想著，覺得自己好卑鄙……

嘛——後頸突然一陣冰冷濕潤，像是舌頭舔上他的後頸！

「哇啊！」他放聲大叫，整個人回過身子，踉蹌的撞在門板上！

映在他眼前的長舌不躲也不藏，竟懸在半空中！

驚愕的向上看，有個人曾幾何時竟從天花板的甘蔗板裡倒吊而下，伸出的舌頭有三十公分長，就這樣朝他的後頸項舔下去！

「這是什麼……」蔡孟宏反手扳開門閂，但是門卻不為所動，「喂！誰在外面？把門打開啊！」

那是人嗎？蔡孟宏邊看著藏在天花板裡的人，那的確像個人，可是怎麼會有這樣長的舌頭!?

「是你……是你們抓走雷小璐跟何芳眞的嗎？」他大吼著，從口袋裡拿出手機。

天花板裡的人沒有說話，不躲不藏，只是不停的晃動著，軟溜的舌不停的往他這裡意圖舔舐捲住，可是蔡孟宏只瞧得見那昏暗的面容，他連拍了好幾張照，緊張的想要快點傳送出去。

但是，喀喀喀的聲音繼續從天花板傳來，一塊又一塊的甘蔗板竟然都被揭開，有無數雙眼睛在上頭的黑暗裡亮著。

不不！蔡孟宏慌張的回身，使勁往上跳意圖扳住門板上緣，他要爬出去！正上方倏地伸下長長的手臂，立刻抓住了他的身子，直接往後扯去，蔡孟宏整個人被扔了進去，滑到試衣間的另一頭，狼狽的撞上牆！

「啊……」他忍著疼不敢遲疑，趕緊扶著牆爬起，突然意識到這些人不會讓他出去的！「我同學知道我要來這裡的，我告訴他，我就是要來你們這間店！」

腳踩的地板開始移動，蔡孟宏驚恐的望著，發現地板竟一寸寸自門開始往後

退的收起，腦海裡突然浮現雷小璐尖叫著落下的畫面、何芳眞可能也在這裡大吼求救無門，然後——他把手機從口袋裡拿了出來，狠狠的拋了出去。

這做法讓天花板長手男措手不及，抓不住手機，手機直接飛出了門外，然後他聽見了玻璃碎裂聲。

同時，他腳下的地板越退越多，蔡孟宏大吼一聲，踩著最後一塊地板邊緣，瞬間往上跳——「啊啊啊啊！」

他抓住了長手男的手。

「唔唔唔！」他看見那個人了，身形魁梧，像個巨人似的！對方咿咿呀呀的喊著，但是蔡孟宏完全聽不懂他在說什麼。

低首看去，試衣間裡失去了地板，而外頭……門外站著那兩個面無表情的店員，冰冷的望著在天花板晃動的他。

長手男開始扳開他的手，無論他怎麼使勁抓住，卻也敵不過被扳開手指的命運——李彥樺！你應該差不多到了吧？沒關係，你知道我在這裡的，你們一定會幫我的對吧！

「哇吧啊——」蔡孟宏向下摔落的那刻，他瞧見了破掉的玻璃櫥窗，以及……櫥窗裡那對模特兒，轉過身瞟向了他。

馮千靜狂奔出輕軌站的速度讓眾人根本追不及，毛穎德緊追在後，論速度可能比不上她，但體力倒是不輸人，夏玄允跟郭岳洋追在後面，本來體育就不是很強的人怎麼可能跑得快！黃宏亮被他們留在學校，不需要這麼多人。

跑最慢的就屬李彥樺，瞧他一副健壯的樣子，但肉咖得很，他眞不敢相信，那個馮千靜怎麼能跑這麼快啊！

學校離新涉谷區有半小時的距離，他們從新涉谷區離開、再回到學校月台、遇到李彥樺再折返，老實說共經過一小時的時間；外頭天色已晚，「黑暗莊園」的招牌燈已經熄了，附近的店家幾乎都已經關門！

蔡孟宏LINE不回沒關係，手機有通沒人接，這算是不幸中的大幸吧！

「馮千靜！妳慢點！」準備轉進巷子裡時，毛穎德一把拉住她。

「這時候能慢嗎？」她咆哮著。

「聽我的！」毛穎德扣著她的手，「這巷子晚上比白天感覺更……」

他擰著眉看著夜晚巷子，因爲許多店家都已關門，剩下的店家也是半掩店門，燈光更加昏暗，僅剩路燈照耀……儘管路燈看上去相當明亮，可是他卻還是不由自主的發寒了。

「快走啦！」她急著要奔進去，拽著他一起往裡奔。

左彎右拐，後頭的郭岳洋他們追得氣喘吁吁，好不容易終於進入了窄小的巷子，看見位在轉角處那間應該閃耀著紫色招牌的——咦？

馮千靜還沒跑到就慢下了腳步，第一時間是左顧右盼，這是哪裡？有玩具店、美妝店，對啊，這些一、兩個小時前她才看過，美妝店甚至還沒關店，半掩的鐵門裡只怕正在結帳吧。

可是，可是……

「什麼東西啊？」連毛穎德都不住開口了，「店呢!?」

夏玄允跟郭岳洋前後奔來，上氣不接下氣，差點撞上卡在路上的他們，「幹嘛站在這裡？先去看看店……咦？」

夏玄允高舉的右手都沒放下，狐疑的皺眉，甩甩頭，再睜開眼，只看見一間鐵門緊掩的店面，但是沒有任何招牌，那塊「紫揚服飾店」的招牌消失了！

「是不是跑錯地方了啊？」郭岳洋第一時間也是如此反應，但是他跟夏天探查過，左右兩邊的店家還是原來那兩間啊！

不管直的或是橫的，招牌均消失無蹤，緊掩的鐵門上甚至還貼著一張令人膽寒的紅紙：「租」。

馮千靜緩步走到店門前，爲什麼這間店一副空屋待出租的模樣？

「是這間嗎？」李彥樺終於奔來，不可思議的看著門，「喂！有人在嗎？蔡孟宏！」

毛穎德突然扭身就往未關店的美妝店去，輕拍著鐵門，小美眉出來應對，夏玄允也跑到其他未閉的店家去詢問，好端端的一間服飾店，怎麼可能說拆就拆呢？

「服飾店？」美妝店的美眉有點錯愕，「關門了嗎？今天蠻早休的！」

「可是招牌都拆了啊！」毛穎德打了個寒顫，「有看到她們搬走嗎？」

「咦？眞的假的？」其他工讀生趕緊探頭出來看，「眞的耶，招牌怎麼不見了……奇怪，今天沒有貨車進來啊！」

毛穎德腦袋一片空白，淡淡的道謝，擠著勉強的笑容回過身子，遠遠看著那漆黑的店門；走出隔壁牛仔褲店的夏玄允一樣的動作遲緩，滿腦子都是不可思議，怎麼有可能在一小時內拆掉招牌、搬走店面而無人知曉？

「怎麼可能！你們不是剛剛才在這裡！」李彥樺激動拍打著鐵門，「開門！喂！開門！蔡孟宏！你是不是在裡面？」

郭岳洋簡直說不出話來，掩著嘴呆愣在原地；夏玄允硬是到附近繞了一圈，似乎想確定些什麼；馮千靜拿出手機再撥了一次蔡孟宏的電話，剛剛一直都是有通沒人接，現在應該……

音樂聲，從她身後響起。

咦？馮千靜錯愕回頭，看見在一堆機車下方，有閃爍的發光物體……毛穎德也瞧見了，他小跑步到機車下方，撈到摔裂的手機。

螢幕破裂，邊角損傷，但是手機功能還是正常，來電顯示是馮千靜。

蔡孟宏的確到過這裡。

「郭岳洋，報警！」毛穎德突然望著手機，旋身再度往店面走去，拉下激動的李彥樺，「別再敲了，沒有用的！」

他一邊說，一邊拿出自己的手機，調出手電筒往地上照耀，馮千靜見狀也拿出自己的手機加強光線。

「找什麼？」她雖不明白毛穎德的用意，但幫忙就對了！

「手機是被扔出來的，但不可能是店員扔的吧？」毛穎德仔細低首尋找著，腳下突然踩出清脆，「啊……」

他翹起鞋尖，在鞋子底下果然是閃亮的玻璃碎片。

馮千靜蹲下身子，看著破損的手機、看著玻璃，「蔡孟宏情急之下扔出來的嗎？」

「按照位置，不太可能是從妳那間試衣間扔的。」如果是從有倉庫的試衣間扔出，手機應該會落在店門的左前方，但是現在手機卻是在正前方的機車停車區找到。

是另一間試衣間。

「店有問題，哪間試衣間都有問題。」馮千靜抽過手機，「他這麼急著扔出來，一定有什麼線索！」

毛穎德起了身，已經可以聽見警笛聲了，這附近就有一個警局，步行不必五分鐘的近距離。

「我想問的是，」毛穎德看著灰塵遍佈的鐵捲門，「他們爲什麼沒有把手機帶走？」

短短一小時內，一間服飾店就此消失無蹤，警方找到房東前來開門，裡頭空無一物，甚至連隔間都沒剩下，灰塵滿地，看起來就像根本沒裝潢過。

房東拿出了租約，照著上頭的資料找人，手機直接變成無此號碼，沒有一個人找得到；李彥樺信誓旦旦的說蔡孟宏到了這間服飾店，現在服飾店不見了，人呢？

警方只能在現場做勘驗，但事實上他們個個神色凝重，不時交頭接耳，這沒幾天前大家才來過現場，居然能說搬走就搬走！而且屋裡的雜物跟滿地灰塵，至少累積了一定時間啊！

再說服飾店的隔間怎麼全部不存在了，有人搬走會連隔間木板一塊兒搬離的嗎？

不必明說，每個人都覺得有問題，這根本太玄。

記者們開始大肆報導，馮千靜幾乎一見到媒體車就閃躲，讓鏡頭全照著李彥樺，他不停的重複「都市傳說」這四個字，在鏡頭前痛哭流涕，讓新聞的走向變成了怪談。

那天午夜，他們又是在警局度過，製作筆錄交代過程，還有交上蔡孟宏扔出來的手機。

手機裡的資料毛穎德清查過一遍，在相簿裡找到了幾張應該是失蹤時候的照片，他進店前很刻意的拍了一張服飾店的全景，所以大家可以追蹤到入店時間，接著進店後在試衣間裡拍了一張。

然後連著好幾張照片，全部都是空白。

毛穎德還是記下了時間，連續性的拍攝，照片不是拍著白色物體，而是像曝光過度一樣，有的還有搖晃，手機的操作模式而言，不太可能誤觸，蔡孟宏勢必是想拍什麼卻失敗了。

「為什麼會拍不到東西？」馮千靜看著自己手機，毛穎德把照片轉發給每個人了，「這畫面太詭異了。」

「其實旁邊有拍到一點點他的包包有沒有！」夏玄允專注的望著，「他人在試衣間裡，包包掛在牆上吧，所以他正在拍裡頭。」

「拍得好急喔，我看他一連串的拍了三四張……全部都曝光過度……手機拍攝會有曝光過度的情況嗎？」郭岳洋沉吟道，「大家不是都用傻瓜自動模式嗎？」

毛穎德計算著每張照片的間隔，「他是七點半進去的，第一張拍試衣間的照片是七點三十五分，後面全部都是七點三十七分拍的，發生事情的速度其實很快。」

「這下我也不必畫什麼裝潢圖了，店都不在了，還需要什麼！」馮千靜自始至終都緊握著雙拳，壓抑住怒火，「然後呢？蔡孟宏就這樣失蹤了？」

雷小璐、何芳眞、蔡孟宏三個人如此人間蒸發，現在連嫌疑最大的店家都不見，裡面的人員、電話、資料全部都是假的，就算他們眞的是人口販賣集團而非都市傳說的話，也根本無從抓起吧？

這連一點點線索都沒有的事，怎麼抓？

李彥樺不再言語，哭腫的雙眼還在低泣，靜靜坐在一旁，聽著「都市傳說社」的討論。

「啊！」夏玄允的手機突然震動，「是劉品娜！噓……」

大家紛紛靜下，其實車廂裡一直很死寂，半夜人本來就不多了，這票學生一上車就在討論新聞中鬧得沸沸揚揚的失蹤案，又講的什麼試衣間失蹤、都市傳說、試穿個衣服背後都會有人，大家聽得根本是冷汗直冒啊！

劉品娜來電，簡單的問他們在哪兒，說有事要談，便約在了學校的輕軌站會合。

「我去那間鬼屋了。」劉品娜開門見山，「做得很精巧也很嚇人，有幾次我還眞的被嚇到，然後我走到布幔那個出口。」

馮千靜瞪大雙眼望著她，期待著後續。

「布幔……啊，小……馮千靜走的那個！」夏玄允立即連結，「那個會說話的雕像還在嗎？」

「在，他對我說了一串我聽不懂的語言，但是我就按馮同學說的，跟他說法文的『好』。」劉品娜挑起一抹笑，「我一出來就有人找我聊天了，名爲做問卷，事實上就是在問剛剛發生的事，我本堅持報警，他們便鄭重跟我解釋那只是遊戲效果，所以才會用法文，爲的就是不嚇到人。」

「他們跟妳承認是遊戲效果？」毛穎德急切的追問。

「事實上我全程錄音了，包括那個雕像說的話。」劉品娜手抽出口袋，拿出錄音筆按下播放。

『沙沙……請您不要生氣，那只是遊戲的一部分，開口說話是爲了嚇人，內容隨便編的，只是一種效果嘛……』

他們有點遲疑，郭岳洋溫和的試探，「那個不是說有雕像說話的聲音嗎？」

「就是前面的沙沙音。」劉品娜切掉錄音筆，「我在裡面二十分又十七秒，在鬼屋裡的錄音一下都沒錄進去，包括我自己的說話聲；但是出來後跟工作人員說話的部分都有錄到。」

咦？馮千靜立刻看向手上的手機，跟蔡孟宏拍不成功的照片異曲同工？

「換句話說，在鬼屋跟服飾店不管想留下什麼證據都不可能啊……」郭岳洋似懂非懂的點著頭，「錄音錄影都會失敗，拍照更別說了，裡面有什麼不讓人知道的東西……」

「這就奇怪了，我只是錄音，而且每個人都去參觀鬼屋，他們防堵什麼？」劉品娜對此不解，「那是我聽不懂法文，萬一有其他人聽得懂呢？防什麼？」

「有啊，雷小璐懂，馮千靜也懂。」夏玄允爲難的回頭瞥了一眼馮千靜，「雷小璐現在失蹤了。」

「妳懂？」劉品娜睁大著一雙眼望著她。

馮千靜點點頭，流利的重複了那雕像的說話，順便翻譯，「只是我沒跟工作人員說我聽得懂，也沒回應他。」

「咦？」劉品娜一驚，「那妳竟叫我回應他？」

「是啊，鬼屋不是都會給壓驚袋嗎？」馮千靜積極趨前，伸出了手，「他們給了妳什麼？」

「壓……啊！」劉品娜根本沒把這件事放在心上，回身到馬路邊的車上找出那紙袋，扔給了馮千靜。

大家立刻手忙腳亂的把袋子裡的東西一一拿出來，毛穎德知道目標物只有一個，就是……他從小紙袋裡摸到了一張紙卡，緩緩抽出。

紫揚服飾店，兩千元的禮券。

馮千靜立即倒抽一口氣，搶過那張禮券細瞧，的確是一張兩千元的禮券，與雷小璐那日拿到的一模一樣。

「雷小璐也是拿到這張……」李彥樺終於哽咽開口。

「又是禮券……這根本是吸引消費啊！」夏玄允也湊上前，「任誰拿到這張都會想去那間服飾店消費的。」

「也就是說，聽得懂雕像說話、或是有回應的人都會獲得這張禮券，然後讓他們去消費！」郭岳洋圓睜雙眼，「這簡直是誘餌嘛！」

劉品娜蹙眉，實在不懂他們在討論什麼，逕自抽過自己拿到的禮券端詳，兩千元劵眞是大手筆，區區一個鬼屋探險，門票才賣兩百元，裡面的東西都如此精緻，還有這種大獎，這樣符合成本嗎？

「這間服飾店就是……已經不見的那間嗎？」劉品娜彈彈禮券問著。

「嗯，已經不存在了，她們感覺像逃走似的，否則應該正等候妳的大駕光臨吧！」馮千靜擰著眉看著那張禮券，「其實給禮券是一回事，消費是一回事，當是眞的要讓人落單又是另外一回事吧？很少人自個兒逛街的吧？」

「我倒覺得落單情況可以製造。」夏玄允有不同的見解，「假設就算我陪妳去好了，妳在試衣間時，店員想辦法把我暫時支開就好了。」

「最好，怎麼支開？」馮千靜隻手扠腰，講得這麼容易。

「他是說這裡吧。」劉品娜驀地接口，將禮券高高舉起，指甲擱在下頭，指著一行超迷你的小字——『憑本券可兌換飲料買一送一。』

咦？馮千靜連忙搶下來細看，那天雷小璐的禮券她根本沒仔細看過！

「這樣就可以提醒等人的客人，說要不要先拿券去買飲料？趁現在你女朋友在換衣服？」郭岳洋哦了一聲，設想狀況，「等你拿著飲料回來時什麼都不存在了，她們否認到底我們也沒辦法。」

劉品娜重新拿回禮券，再看著手上的紙袋，「這麼說來，那間鬼屋確實有問題了！」

馮千靜微蹙著眉，看向了毛穎德，原本希望能有蛛絲馬跡的服飾店眨眼間帶著蔡孟宏一道兒消失，剩下的就只有那間人潮洶湧的鬼屋了。

「再去一趟。」馮千靜深吸了一口氣，「這一次，我來回答那個雕像。」

第七章 再探莊園

馮千靜去鬼屋，沒有告訴愛哭愛跟路的夏玄允跟郭岳洋，因爲有他們在，她總會有種「成事不足敗事有餘」的錯覺……雖然他們其實都很聰明，但是搗亂的程度實在太高了，她並不想冒險。

她是去辦正事的。

現在她已經搞不清楚自己的目的是什麼了，如果能找到雷小璐他們當然更好，但是她心底有個聲音悄悄的在說：救出雷小璐或是何芳眞的機會已經渺茫，說不定蔡孟宏還比較有可能。

說到蔡孟宏就令人覺得奇怪，她仔細看了試衣間的都市傳說，沒有男生出事的狀況啊？失蹤的都是妻子、女朋友、妹妹，不管怎樣都是女性，男生跟免疫一樣不是？

話說回來，都市傳說既然是「傳說」，就表示以訛傳訛沒個準，所以都是女性這樣的流傳，也可能是剛好傳出來的失蹤者都是女性吧？

她跟毛穎德一起去的，兩個人假裝不認識的前後進入鬼屋，幾乎一抵達報到處時，她就能感到扎人的視線，來自於部分工作人員；他們是用盈滿敵意的眼神在看著她，觀察打量，不時還會竊竊私語，她眞榮幸，這麼容易被人記得？

第一次來鬼屋那天，她幾乎全副武裝只露出一對眼睛，眼睛外還有眼鏡遮掩，而後來二度去服飾店探訪，她不僅取下口罩，甚至眼鏡都換了，但是當時店員卻一眼便認出她來，擺著臉色以爲她要找麻煩，跟現在在她眼前的工作人員一般，他們也是這樣忌諱著她。

怎麼這麼容易認出她啊？她之前明明五官完全沒有顯現，這樣都能記得未免也太厲害了吧？

哼，這群人，根本一開始就記得她了。

她跟毛穎德被分在不同組，從不同入口進去，她這次從五樓進入，照慣例有嚇人行動的鬼魅殭屍，還有暗燈的技倆，馮千靜完全沒在理，她一心一意只想回到上次走的那條路。

因爲急，所以耐性比較差一點，有點對不起從樓梯下方突然伸手出來抓她腳的那個演員，她眞的不是故意把他從樓梯上摔下去的。

下了兩層總算回到第一次進來之處的三樓，直奔長廊，右手邊那幾座雕像依然存在，她取下右手腕繫的橡皮筋，在指頭上纏繞出彈人的姿態，二話不說直接往雕像的眼皮彈下去。

「唔！」其中一個雕像倏地顫動，驚恐的睜開雙眼望著她。

果然會痛！

馮千靜假裝沒看見他們，逕自走向下一個，就是上次她意外觸碰到柔軟肌膚的那位，模樣她不記得了，不過這次彈下去卻是硬梆梆的石膏，換班了嗎？

原本還想往下走，但是前方左右兩旁的各間房門提早打開，嚇人的鬼怪走出，硬是阻擋了她的去向。

她確定有提早，這些人想阻止她繼續試驗雕像嗎？無妨，這也不是她此行重點！轉身俐落進入第一間房，她關上房門時首先看向左邊衣櫃，想起夏天他們曾遇到東西從衣櫃裡滾出來，雖然她上次沒遇到，但說不定他們改了模式。

所以她放輕腳步越過了衣櫃，來到衣櫃的左邊門上，冷不防的就一把拉開衣櫃門——空。

「眞的假的？這麼善良？」馮千靜好奇的看著空無一物的衣櫃裡，她原本以爲會躲著殭屍或惡鬼衝出來嚇人的！

不過……她彎身敲著衣櫃的牆壁，這是空心的，甚至可以看到衣櫃後面整面木板旁邊有隙縫，後頭有著空間或是密道；她遲疑著，這可能是演員休息室，也有可能是工作人員前來的密道，她是否該如此莽撞？

再定神一瞧，可以看見木板上沾染著磨擦的血跡，血跡已乾涸變色，像有受傷的人曾坐在這兒似的。

才在沉吟著，低首的她看見地上一抹影子，出現在她右手扣著的衣櫃門後。

趁機想躲在門後，待她一關門時就嚇她嗎？她暗地一笑，等著那影子逼近，做出要關門的動作，然後冷不防的使勁把門往外一甩——砰！

「吼——」門板準確的砸上來人的鼻子，對方嘎啦亂叫，馮千靜趁機大跳一步向後，想看看是何方神聖。

只是她很快就後悔了。

那傢伙醜陋無比，打扮成殭屍模樣，但是沒有眼珠子，只有兩個眼窩深深的洞，鼻子被削去，張大的嘴裡是磨尖的牙齒，撫著臉頰哀鳴，雙手都有著又長又尖的灰指甲，身上還有破爛的衣服，完全是電影版本的殭屍。

馮千靜繞過那殭屍往公主床去，卻突然止步。

「這是怎麼化妝的？」她竟回身，扳過了那殭屍的臉，「這是眞的還是化妝？」

「啊啊——」殭屍驚恐的抵住她的手，但是馮千靜使勁往他臉上摳去——沒有面具、沒有矽膠，有的只是她指尖上黏稠的透明液體！

殭屍簡直像是被她嚇到似的，瘋狂的打開衣櫃就衝了進去，徒留馮千靜站在原地，看著手上的液體……這像是組織液啊，她剛剛往他鼻子抹去時……不是化妝嗎？

那麼……馮千靜不假思索的立刻衝向床，拉開蕾絲床簾，直接跳上床，床上那皮包骨的女孩嚇了一跳，瘦骨嶙峋的人，眼睛看起來特別大，目不轉睛的盯著她！

指尖一把拉起她繫著緞帶的手，另一手迅速探向頸動脈——人！她是人！

低首看著女孩的右手臂，密密麻麻的全是洞。

「妳也是活人？」馮千靜驚訝不已，翻身就下了床。

當她踏到地板時，音樂聲響起，緞帶拉扯，把那骨瘦如柴的女孩拉站起來，舞動著骨感四肢跳起舞。

馮千靜抵著逼近的骨女，望著她的雙眼，骨女搖著頭，淚水滑了下來。

推開骨女，她毫不猶豫的通往出口那角落的門，來到那上頭掛滿屍體，正在淒厲亂叫的狹窄走廊，伏著身子閃躲那些屍體的抓取，準確的來到那尊雕像面前，見面禮就是橡皮彈眼睛！

「啊！」雕像痛得閉眼，痛苦的瞪著她，「好痛！」

「Léo，你眞的是被抓來這裡的嗎？」馮千靜用簡單基礎的法文問他，伸手摸著他其實溫熱的臉頰，「你眞的希望我報警嗎？我可以報警的，讓警察來救你離開！」

雕像望著馮千靜，一臉欲言又止，「我叫 Léo，住在巴黎第四區，我需要幫忙，請妳幫我……」

「你是在跟我鬼打牆什麼？」馮千靜一掌往台座上打下去，啪得聲響超大，「我在問你是騙人的還是認眞的？或是這是一種誘餌？」

雕像睜大恐懼的雙眼望著馮千靜，他不得不望，因爲馮千靜根本都要貼在他鼻尖了。

這瞬間，馮千靜突然感到現場居然鴉雀無聲！

驀地抬首往上看，一眾屍體們竟忘了還在工作中，每人都吃驚的望著她。

「你們也都需要報警的嗎？」她放聲高喊，重新回到雕像面前，雙手同時拍在台座上，瞪視著大吼，「回答我！」

走廊下一秒竟開始劇烈搖晃，都第二次了，最好她還會怕。

雕像依然不明所以的望著她，緊接著震動搖晃陡然停止，前頭竟出現一陣光——布幔自動掀起，拉砲聲響。

「恭喜！」

工作人員出現在門口，歡欣鼓舞加拍手的迎接她。

馮千靜站在距出口一公尺之遙，冷冷的掃視這群人，這麼焦急害怕等不及，深怕她繼續鬧，所以乾脆主動公開她過關？

幽幽轉向那說話的雕像，他們卻突然連同台座開始移動，牆壁升起，他們全數退到了裡頭。

「喂！」馮千靜想要鑽進去，有個女孩飛快的奔去將她拉住。

「同學！那裡面是我們的機關啦！」女孩拽著她往外走，「遊戲結束了，妳又是最早出來的呢！」

又是？馮千靜看著回頭衝著她笑的女孩，哦……上次那個「問卷調查」的正妹啊。

她被拉了出來，布幔重新放下，照慣例又是登記第一名的姓名啦，選選獎品什麼的，但這次馮千靜原本就不打算沉默。

「我要報警。」她大動作的拿出手機，「那個雕像說他是被綁去當雕像的，法國人！」

「咦！」正妹緊張的壓下她的手機，「同學，那是節目效果，妳不要當眞啦！」

「是嗎？」馮千靜瞬也不瞬的望著她，「裡面也有雕像是人、殭屍是人扮的就算了，在床上那個骨女是活生生的——妳敢跟我說那是化妝技術，骨女怎麼化妝啊！」

「那是道具！人怎麼可能這麼瘦啦！我們的道具栩栩如生，是我們的自豪點啊！」正妹笑容永遠燦爛，「雕像要活人扮的才能嚇到妳啊，說話那個雕像眞的眞的是效果！」

馮千靜定定的望著她，說謊都不會臉紅的。

她繼續拿起手機，故意不聽勸堅持要報警——

「親愛的！」

親暱的法文突然由後傳來，馮千靜瞪圓了雙眼，看著從旁邊跑出來的高大外國男子，他整張臉都塗得跟石膏一樣白，匆匆奔出。

「我是，嘿！住在第四區的Léo。」他奔到馮千靜面前，足足高她一個頭，「說話嚇人是我的工作，那些都是我的台詞，妳不要當眞！」

馮千靜仰首，驚訝的用片段單字說：「Léo？報警？」

「No No No！那是開玩笑的！」他用法文流利的說著，「我在這裡，我好好的呢！」

他上半身套了個道具，的確就像無手半身胸像。

「噢，SORRY！」馮千靜低垂著頭，「我以爲是眞的，你被人砍斷雙手做成雕像……」

「怎麼可能！這只是遊戲啊！」Léo彎下身子，溫柔的微笑，「謝謝妳啊，我還得進去工作了。」

馮千靜尷尬的笑著，凝視著那化妝成石膏像的Léo，深深一鞠躬。

正妹店員立刻上前緩頰，帥哥店員也上前了，他們致贈禮物，還說送份驚喜給她，用薄紙袋裹著，扔進大袋子裡。

馮千靜淺笑著道謝又道歉，大家嘻嘻哈哈的說笑，宛似同學一樣。

「我可以看驚喜嗎？」她刻意當面拿出來。

「可以呀！」

馮千靜撕開紙袋，裡頭是一張兩千元的現金抵用券。

「妳是A大學的吧？我們有很多合作廠商啊，我特地挑了一個你們學校附近的。」正妹笑得甜美，「謝謝妳這麼支持我們黑暗莊園！」

馮千靜凝視著那張禮券，新店家，還眞的就在學校附近，這麼巧？

「這間衣服超棒的，我才去買一堆呢！」有人鼓吹介紹，「現抵兩千沒有條件，好好去買件衣服吧！」

她微笑著把禮券好整以暇的收起，頷首道謝。

這就是她要的入場券——凡事聽得懂雕像說的話，或是與之回應的人，都會拿到那張「門票」！

她在熱鬧聲中被送走，離開了那棟大樓，左拐進入熱鬧的新涉谷區，她想吃碗拉麵再回去。

毛穎德早在轉角處等她，一等她走來即刻跟上，剛剛他離開鬼屋時，馮千靜跟那堆人正有說有笑的。

「如何？我看到一個雕像人走出來跟妳證實什麼似的？」

「嗯，他說他就是Léo，一切都是道具演戲，要我不要當眞。」她冷笑，「當我瞎了嗎？這麼大隻怎麼塞得進那個台座！長相也不同！」

根本就不是原來那個雕像，眞認爲找個外國人來她就分不清楚了？即使都塗白，她還是能辨識清楚。

「說不定人家會軟骨功。」毛穎德訕訕的說著。

「說不定他根本不是那個雕像。」馮千靜指指頰畔，「我才用橡皮筋強力彈過他的眼皮，最好幾分鐘內就能消腫！」

毛穎德有些凝重的上前，「啊門票到手？」

「到手了。」她抽出門票揚著，「他們還沒歇手，給我的禮券服飾店居然在學校附近。」

「……眞貼心啊，還不勞煩我們跑太遠。」他望著她的側臉，「妳決心要淌這個渾水？我不知道妳跟雷小璐那麼好。」

馮千靜止步，向左上瞟了他一眼。

「現在不是雷小璐的問題了。」馮千靜深吸了一口氣，「只要試衣間存在一天，就有人會失蹤，我們既然知道，就應該讓他們徹底關店！不能再讓無辜的人進去了！」

「好大愛喔！」毛穎德忍不住笑了起來，「受傷別再哭夭，這次是妳自己願意擔的喔！」

她蹙眉嘟嘴，有點不情願。

「好啦，我還是希望可以找到雷小璐他們好嗎。」她不爽的白了毛穎德一眼，明知道她心裡想著。

他當然知道，不讓這種店存在是其一，但重點是馮千靜認爲雷小璐的失蹤，自己也有責任！因爲既然從頭到尾都覺得有問題，卻沒有積極的阻止雷小璐的進入。

只不過……毛穎德剛剛也進鬼屋轉悠一圈，他只覺得更加毛骨悚然，多少「精美的道具」似乎都是真人「扮演」，心中有微弱的聲音告訴他，不管是雷小璐或是何芳真甚至蔡孟宏，只怕都已經凶多吉少了。

雷小璐失蹤第七天，依然下落不明，連同她的同學們也都無影無蹤，服飾店還是空在那兒，警方無法追查到任何線索，新聞開始指責警方的辦案不力，任人口販賣集團猖狂，失蹤孩子的家屬痛徹心扉，面對毫無線索的失蹤，祈求上天能有奇績發生。

劉品娜也暗中積極幫助，但是也的確找不到任何可供詢問的「人」，與服飾店相關的資料全是造假，連房東也莫可奈何。

不過人心已惶惶，「都市傳說社」在社團ＦＢ上大肆宣揚買衣服務必結伴，要求大家分享出去，而且把「試衣間的暗門」這個都市傳說的重點一一列出，請大家千萬不要貪圖一時方便，離開朋友或情人。

只是這件事搞到大家心生恐懼，乾脆連衣服都不買了，事情發生在新涉谷區，所以該區的店家忿怒的跑到「都市傳說社」的ＦＢ來吵架，指責他們散播謠言害他們生意一落千丈，這件事吵得不可開交，夏玄允完全冷處理。

而拿到最新禮劵的馮千靜趁著星期六鍛練完畢，回宿舍的路上，決定來找找這間服飾店。

她扭扭頸子，揉揉手臂，今天老爸操練得有夠凶狠，搞得她腰酸背痛，離比賽還有好長一段時間，讓她放鬆一下都不成。

走進夜市，今天是周末假日人自然多得不得了，這邊地址也是很複雜，巷弄錯綜複雜，光看地址她還眞的搞不清楚方向，走了幾條冤枉路後，她決定開啓定位系統。

照GPS走應該萬無一失了吧？

結果越走越遠，她才發現這地址不是靠近學校，根本靠近她住的地方，就是半山腰那個區塊，那邊的確有一小個聚落，因爲住宿的學生多，所以有十來家店跟餐廳聚集。

遠遠的，她終於看見白色的招牌在黑暗間亮起，在一個坡道上，看見了嶄新的服飾店。

眞是稀奇！馮千靜邊走邊回想著之前那是個什麼地方？廢屋？工寮？這間店未免也太突兀，左右甚至沒有別的店家，最近的店得隔個幾十公尺遠。

她甚至不確定這個位置，之前有沒有房子。

站到店門口，不一樣的裝潢，新店走的是簡約風，明亮的燈讓路人大老遠就看得見，櫥窗裡照舊有兩個模特兒，一男一女，馮千靜站在玻璃下方打量，想確定是眞人還是假人。

屋外沒有放置吊衣架，可能因爲這是馬路邊，也不甚方便。

馮千靜動手敲敲櫥窗，試探模特兒的反應。

「歡迎光臨！」才敲兩下，玻璃門就開了，「同學……」

「還開著嗎？」她抽出口袋裡的禮券，「我拿到這個。」

店員也是陌生臉孔，但一樣是年輕正妹，有著光潔無瑕的臉龐，她瞪大雙眼，接過禮券。

「恭喜，這禮券可以用，可是……」正妹回頭往店裡望去，「眞抱歉，我們要關帳了，可以請您改日再來嗎？」

「關帳？」馮千靜忍不住看向腕間手錶，「才九點耶！」

「今天我們有點事，提早關門。」店員很尷尬的說著，「眞的很抱歉，下次來我一定再多給您優惠。」

嗯……馮千靜沉吟著，假裝不太情願，「我可以先看一下嗎？」

「咦？」店員愣住了。

「瞄一下，我不買，就跟關帳沒關係了吧！」邊說，她逕自踩上那兩階階梯，爲的是看清楚裡面的陳設裝潢。

一抹黑影竄上天花板，速度極快，但是馮千靜還是瞥見了。

「啊對不起，同學！眞的不方便！」店員連忙抵住她，「請不要這樣，明天我們正常開到十一點，您再來吧……啊！」

她回身進店裡，到櫃檯抽過名片，另一個店員則突然疾步走向身旁的試衣間，輕巧的把門給關上，剛剛那黑影就是到那間試衣間的上方隱匿。

上面……馮千靜悄悄往上看，這角度她看不清，因爲店員一轉身就過來了。

「妳下次拿這張名片來，我再幫妳打折。」店員笑吟吟的說，但是卻顯得很緊張。

馮千靜緩緩接過，名片上寫著九折優惠，她眼神繼續大膽的梭巡著整間店，「嗯……」

「抱歉喔！」邊說，店員往前挪了一公分，像是想把她逼下階梯了。

馮千靜不由自主的失去重心向後踏下，不太爽的瞪著店員，這麼著急？感覺像是發生什麼事情似的？

她狐疑的退開，店員立刻返身進入，將玻璃門上的牌子翻轉過來，呈現「CLOSE」的狀態，沒兩秒鐵捲門也開始降下了。

馮千靜趁著鐵捲門還沒全數降下，突然向前使勁搥打了玻璃櫥窗——喝！模特兒的眼神立刻朝她瞟來，馮千靜亮了雙眼！

好哇！果然是你們！

店員站在門口由裡望著她，鐵捲門陸續降下，直到完全關閉為止。

眞好，她們都不必出來就是了。

馮千靜左右張望一下，時間還早，她就到對面去好好的等待，看看這些店員什麼時候要出來——也或許裡面有別的路，能夠讓她們離開。

這條路是個往右的大U型彎，所以她索性走到對面去觀望。

她拎著上來時買的果汁，眞的繞到對面去候著，毛穎德準時打電話給她，因爲馮千靜的作息非常規律，今天就算回家鍛練，但返校的時間應該固定，過了時間未回，他便擔憂她是不是又自己一個人去單挑了。

沒五分鐘，機車停在她身邊，毛穎德抵達。

「還沒出來？」下了車，他搓搓手，今晚好像有寒流。

「沒，才二十分鐘而已。」她聳聳肩，「看！就對面那間，招牌還亮著。」

「奇怪，那裡之前是什麼？」毛穎德也在想同樣的問題。

「不重要了，我看服飾店可以在任何地方開設吧！」她望著他，「我剛敲玻璃嚇模特兒，他們眞的有被嚇到……我終於瞭解夏天他們說的，眼球轉動的意思了！」

啊啊，毛穎德忍不住深吸了一口氣，「雕像是人、模特兒也是人，在鬼屋許多奇形怪狀的屍體如果也都是人的話，讓我覺得有點毛骨悚然。」

因爲太多「屍體」都不像是化妝或是道具，他們身上盡是衣衫襤褸、甚至赤裸裸的露出腐爛之處、缺手缺腳；而雕像就更可怕了，多少半身胸像根本沒有手啊！

「模特兒爲什麼不能動？不管是夏天他們看到的，還是我看到的都一樣，只有眼珠子在動而已，一般的驚嚇照理說身體也會有反應啊……除非是不能反應。」馮千靜何嘗沒思考過這點，「骨女的血管凸出於肌膚一清二楚，恐懼的雙眼訴盡了一切；對我說話的男人頸子跟肩膀都是柔軟的，手臂根本不可能藏在哪裡。」

不知道什麼時候開始，馮千靜已經不認爲那是單純的人口販賣了！

都市傳說試衣間裡失蹤的女人們，最常聽說的是變成不倒翁、或是成爲畸型秀的一份子，但如果是這樣一間鬼屋呢？裡面的佈置需要的是各式各樣的妖魔鬼怪、奇特屍體，這不正是另一種大型的畸型秀嗎？

如果那些屍體與鬼怪都是眞人，他們完全不會知道只是買件衣服，進入試衣間後他們的人生會被折磨成怎麼模樣？

除了說話的雕像外，其他每一個都不能言語，一如都市傳說裡的故事，舌頭均被拔斷，只能咿咿呀呀無法求助。

「拿門票居然沒辦法進去，這有點奇怪。」毛穎德突然開口，「妳說她們還趕妳出來？裡面有別的客人嗎？」

「兩間試衣間，門都是虛掩的，有一間原本半開，但店員特地將它關上，看不到有別人……噢！」她這才想起，「我有看到什麼東西跑進天花板裡！」

「天花板？」毛穎德忍不住正視著那間店，獨棟一層樓，上面能隱藏什麼嗎？

「我也覺得奇怪，我隻身一人又帶著門票，居然沒讓我進去？」馮千靜想像的是對方喜出望外、千方百計要讓她進去試穿。

毛穎德轉過頭，帶著責備眼神瞪著她，「妳原本在想什麼？一個人就要進去？我知道妳習慣單打獨鬥，但是……」

「我不會進去啦！」馮千靜沒好氣的笑著，「我既不是傻子，又不是夏天，沒你們陪我哪會貿然進去！我只是想要觀察一下環境罷了。」

五分鐘路程外的夏玄允，忍不住打了個噴嚏。

「那、就、好。」毛穎德其實不太相信，馮千靜格鬥場上習慣一個人，常常覺得太多人是累贅，「該不會不歡迎妳了吧？」

「我？」馮千靜睜圓雙眼，「因爲我太頻繁出現嗎？」

「嗯啊，去服飾店探訪、又去了一次鬼屋，鬼屋那邊不是對妳戒心重重！」毛穎德分析著，「不過他們還是給妳禮券了，應該還是希望妳去一趟啊！」

是啊，雖然知道她有問題，但是鬼屋那邊還是想方設法降低她的戒心，甚至送上了大禮，還這麼貼心的把店開在她住處的五分鐘路程，如此煞費苦心，與今晚拒人於千里之外的態度相互矛盾。

叮！LINE的聲音同時響起，不是「都市傳說社」的群組，就是夏玄允跟郭岳洋他們了。

夏玄允傳來一張照片，一張再熟悉不過的禮券。

「這什麼？」馮千靜蹙眉，「傳禮券給我看幹嘛？我自己就有一張啊！」

毛穎德正回覆著，「我問。」

「他們兩個在忙什麼？真是莫名其妙。」

「我出門時兩個人專心的在討論，在餐桌上畫圖、整理筆記線索。」毛穎德有些無奈，「眞希望他們唸書能有整理都市傳說一半的認眞。」

「想太多……回傳了。」毛穎德倏地瞪大雙眼，「……這張是李彥樺拿到的！」

什麼!?馮千靜驚異的看向他。

「李彥樺今天去了鬼屋，說他學劉品娜的回答，出來後果然拿到了這張禮券！」毛穎德逐字唸著LINE上的字，「現在在問我們應該怎麼辦！」

李彥樺也跑去鬼屋了！他怎麼會知道劉品娜說了什麼……啊！那天他們在輕軌站見面時，李彥樺也跟他們在一起，只是心情低落沒說什麼話，她都快忘記他的存在了！

「人呢？」她緊張的看向對面的服飾店，「該不會進去了吧!?」

「他不像這麼莽撞的人，而且現在這種狀況，白痴才會落單吧！」毛穎德不以爲然，「啊，來了，夏天說他在宿舍啦，只是跟我們分享這張禮券。」

呼……馮千靜至此鬆了一口氣，「分享什麼啊，叫他不要貿然跑去買衣服啊！」

「沒這麼傻吧！」毛穎德笑著把手機放下，呼著手望向對面，「妳打算守到什麼時候啊？」

「再一個小時好了。」她雙手插進口袋，一臉平靜。

她只想確定，那些店員到底能從哪邊出來？

李彥樺凝重的望著桌上的禮券，真不敢相信明明消失的店家，居然在學校附近重生。

他看到禮券時都傻了，完全沒想到會有這樣的事，也突然覺得蔡孟宏他們真的遇上了都市傳說！

「喂，李彥樺！你發什麼呆？」室友阿弟仔問著，誰叫他一臉魂不守舍。

「啊？沒事沒事。」他言不由衷的回應著。

「最好沒事！這什麼？」禮券冷不防的被阿弟仔拿走，「兩千元的……哇！怎麼這麼好？」

李彥樺緊張的站起身，想要搶回，「你不要鬧！那我的！」

「欸欸，這哪裡抽到的？也太讚了吧！」阿弟仔把禮券舉高，「這間店在哪裡?在……咦?在學校另一邊耶，那裡有店喔?」

李彥樺一把搶回禮券，嚴肅以對，「這是在鬼屋那邊拿到的。」

「鬼屋?哇靠，新涉谷區那個?」阿弟仔有點不安，「那邊很不平靜啊!學校不是有人失——啊，對不起!」

話說到一半，阿弟仔才想到那些是李彥樺的同學。

「雷小璐也有拿過禮券，是鬼屋給的兩千元。」李彥樺晃著禮券，「我眞送你，你敢去嗎?」

「別別別別!」阿弟仔搖頭兼揮手，「開什麼玩笑!大家現在都在傳，那是試衣間的都市傳說!一旦進去試衣間後，就永遠出不來!」

「是啊!唉!」李彥樺重重嘆口氣，把禮券擱在桌上，「所以這有什麼好的?」

「那你打算怎麼辦?」阿弟仔瞄著禮券，戰戰兢兢。

「明天拿給都市傳說社吧，他們好像比較知道該怎麼處理。」李彥樺勉強笑著，「我只是想證實某件事而已……」

雷小璐拿到禮券，因爲她在鬼屋回應了那個雕像，那天聽見一位劉小姐這麼說，他便感覺「都市傳說社」早知道什麼卻沒有明講，所以他記下劉小姐說的回應，循著她說的路線，又去了一次鬼屋。

他不是多用功的學生，不過也聽得懂那個雕像在說什麼，報警、救命，這些基本暫時湊在一起，再怎樣都是求救。

可是他只能做到這樣，告訴「都市傳說社」禮券再度出現、又有新的服飾店跟試衣間等著無辜的人上勾，剩下的他無能爲力；想著一星期前大家還興高采烈的約好一道兒去鬼屋，誰想得到一個星期後只剩他一個人。

夜不成眠，日日惡夢，他彷彿都能聽見蔡孟宏他們大喊著救救他們。

「欸，我要去拿烘乾的衣服，」阿弟仔彎身拿起籃子，「你不會出去厚？我去收一下就回來。」

李彥樺擺擺手，「我在啦！」

阿弟仔滿意的拿著籃子出去，李彥樺則起身到下舖床上拿過衣服，阿弟仔洗完換他去把一星期份的衣服也洗起來，所以先把身上這身衣服換下來吧！

四人宿舍不大，但可以磨練跟別人一起生活，男生宿舍數量超少，能抽中就是運氣了；房間門邊與衣櫃間，自然隔出一個方格小空間，上頭架了圓形軌道，再加設簾子，就成了小小的更衣間，畢竟生活在同個空間，有人還是會尷尬。

拿著衣服進入更衣間，李彥樺還不忘先把房門鎖上，以防有人誤入。

咿……歪……才脫下上衣，李彥樺卻彷彿聽見身邊衣櫃打開的聲音，問題是這衣櫃是他的啊！

宿舍衣櫃都是鐵櫃，關節久未上油，開關時都會咿歪咿歪的響，他狐疑的蹙眉，現在房間只有他一個人啊！

咚！鐵門倏地敲了一下，明顯的就是衣櫃門！

「誰？」他直覺性的拉開簾子，向左一滑，看見自己的衣櫃門居然開了！

奇怪？李彥樺瞪著自己敞開的衣櫃，吊掛的衣服從中間被分向兩邊推擠，折疊好放在下方的衣服也亂七八糟，這樣子簡直像有人躲在裡面……不對，他不安看著房間，房間裡就只有他一個啊！

衣櫃為什麼會打開，裡面的衣服怎麼會亂七八糟!?

他忍不住發抖，告訴自己不要胡思亂想，把吊掛的衣服推在一起弄整齊，下方的衣服先拿出來扔在床上，等等得重折。

寒風吹入，裸著上身的他有點寒意，趕緊又躲回更衣間裡，拉起簾子，得火速的換……衣……服……伸手要拿掛在掛勾上的睡衣，此時牆上竟空無一物！

一抹黑影自頭頂籠罩，李彥樺僵直的手懸在空中，感受著衣櫃上頭有什麼正俯下，逼近著他，遮去了光線。

不、不會吧……他瞪大雙眼，僵硬著身子，他現在在宿舍裡，不是在服飾店，這明明是試衣間的都市傳說，怎麼會發生在——小小方格的更衣間，難道這也可以叫試衣間嗎？

冰冷的手，拍拍他的右肩！

「哇啊——」李彥樺驚恐的大叫著，轉身向左，就要衝出更衣間！

只可惜後頭一雙手更快，由後方繞過他腋下，雙手緊緊叩住他的身體，使勁就往後拖！

「不——不要——哇！」他只看到交纏在他胸前的是一雙沒有皮膚，只有鮮紅肌肉的手，下一秒他就被拖著向後，進入了黑暗……吊掛著衣服的地方，再往左望，他可以看見對開門縫外，是室友的衣櫃，然後——

喀啦喀啦！門把被轉動著，接著是敲門聲，「喂！李彥樺！開門啦！我回來了！」

砰砰砰砰！拍擊聲不止。

「李彥樺！聽見沒？」阿弟仔不耐煩的在外面唸著，「該不會溜出去了吧？喂！李彥樺！」

第八章 不入虎穴

夏玄允望著紊亂的衣櫃，還有那些雜亂不整且落下的衣服，衣櫃裡平放的折疊衣物彷彿被什麼東西攪亂似的，沒一件衣服整齊置放，亂七八糟，還有許多根本就直接掉落在地上。

吊掛著的衣服，有幾件被扯下一邊，斜掛在衣架上頭。

「你確定李彥樺在房間裡嗎？」郭岳洋在一旁，親切問著他的室友。

阿弟仔被晾在門外，幸好他有帶手機，首先打給李彥樺，電話響聲卻從房間裡傳出，接著再打電話給未歸的室友，所幸有一人已經在返家路上，因此他便在門口等室友回來開門。

開門入房後，只看到李彥樺半開的衣櫃跟掉落地上的衣服，卻不見李彥樺的蹤影，另一個室友一進門就看見門後的更衣間簾子拉著，直接拉開，裡面也是空無一人。

但牆上卻掛著李彥樺剛穿著的衣服，地上落著應該是準備要更換的睡衣。

「我離開時是這樣啊，我烘衣服的時間到了，所以我要去拿衣服，他還說回來後換他去洗衣服！」阿弟仔總是不解，「因為他在我就沒帶鑰匙，想說拿一下衣服就回來，結果門居然鎖上……可他手機也沒帶！」

等到室友開門，他遍尋不著後，恰巧聽見LINE的聲音響起，是夏天傳來的，所以他回覆：『李彥樺不在，他突然不見了。』

於是，擁有「都市傳說第六感」的夏玄允立刻打電話給李彥樺，阿弟仔接聽，說了李彥樺本來在但卻突然不見的話語，沒說完夏玄允就問了他們宿舍號碼，十分鐘後兩個男孩立即殺到。

「他衣櫃一向都這樣嗎？」夏玄允指著衣櫃問。

「沒有，至少我離開時不是這樣，問題是平常大家衣櫃都麻關著。」阿弟仔搖著頭，「而且更衣間裡的睡衣他平常就扔在床上，也不必開衣櫃拿！」

「喂！會不會太誇張？說不定李彥樺只是出去一下而已。」另一個室友覺得小題大作，「都市傳說社」的人都來了？搞得跟眞的一樣？

「爲什麼會挑這時候出去？明明知道你拿烘乾的衣服，來回不必五分鐘，洗衣間在哪裡？」夏玄允立刻續問。

阿弟仔往外一指，「就前面樓梯轉角，那邊有個陽台，洗衣跟烘衣都在那裡。」

「我看連五分鐘都不必啦！而且明知道你去拿衣服，怎麼會挑這時候出去？」郭岳洋也不以爲然，「而且連手機都沒帶。」

另一室友聳聳肩，他就是覺得沒什麼大事。

「喂，怎麼了？」門口突然奔來毛穎德。

「毛毛！」夏玄允亮著雙眼，不停招手，「來來來，你看看！」

郭岳洋趕緊解釋是另一個「都市傳說社」的社員，他們剛剛急CALL，可惜男生宿舍女賓止步，加上馮千靜還守著那間服飾店，所以她就不過來了。

夏玄允向毛穎德解釋狀況，郭岳洋繼續詢問阿弟仔細節，阿弟仔解釋著更衣間裡掛勾上的衣服，還有地上的睡衣，都是李彥樺的，只是一件原本在身上，另一件可能是要換穿，因爲他等等要去洗床底下那批衣服。

李彥樺的床上也多了幾件紊亂的衣服，阿弟仔覺得是從衣櫃裡拿出來的，在靠近衣櫃的角落有一隻背翻著的藍白拖，郭岳洋蹲下身子，原地轉了一圈，沒看到另一隻。

「他拖鞋喔？可能在桌下吧？有時我們都不穿的！」阿弟仔開始幫忙找尋李彥樺的另一隻藍白拖。

而毛穎德緊鎖眉頭站在衣櫃前打量，再走到更衣間看著「案發現場」，落在地上那堆黑色結晶體，幾乎已經告訴他答案。

「這麼說來他是裸著上身出門的嗎？」毛穎德幽幽問著，「這一切都不合理，原本該待在房間的人，無緣無故不穿衣服外出？在這種寒流天？」

室友立刻看向李彥樺的椅背上，「他外套還在耶……是說我也不確定他有沒有別件外套就對了。」

站在更衣間前的毛穎德望著詭異的衣服，動手拉著簾子，關上，喀啦啦，拉開，喀啦啦。

「你們進來時簾子是拉上的嗎？」夏玄允突然像是想到了什麼。

「嗯。」開門的室友漫不經心的點點頭，「我以爲李彥樺那傢伙在換衣服，或是惡作劇什麼的。」

「他正在換衣服！」夏玄允突然走進更衣間，「你看，我脫下上衣掛著，然後準備換上睡衣——可是有什麼事發生了，我連穿都沒穿……連衣服都掉在地上。」

緊急的、措手不及的狀況，才會讓人有這樣的動作，來不及穿衣服？或是根本沒辦法穿？

「奪門而出嗎？」毛穎德看著一旁的門。

「可是，」郭岳洋正蹲在床底下，「他的鞋子都在耶，穿一隻拖鞋衝出去喔？」

站在更衣間裡的夏玄允仰著頭，看著上頭四方的天花板，這更衣間長寬只有一個手臂長，窄小見方，但也足夠大家換衣了。

換衣……雙手撐在牆邊，內心湧起極度不安。

「那個……這裡也能算是試衣間嗎？」

夏玄允虛弱的在裡頭說出驚人言論，讓毛穎德跟郭岳洋瞬間都僵住了。

「我只是假設，都是換穿衣服的地方……」他嚥了口口水，「會不會就不限於服飾店才……」

房間裡一片死寂，連在打神魔的室友都呆愣的望向聚集在門口的他們，室友戰戰兢兢的絞著雙手，他們當然聽得懂那三個學生在說什麼，不就是甚囂塵上的「試衣間的暗門」都市傳說嗎？

「我以為那是服飾店才有的！」阿弟仔嚥了口口水，每個字都在發抖，「我才跟李彥樺在說，叫他不要、不要去那間服飾店的。」

「什麼服飾店？」另一個室友忍不住站起身，為什麼超展開成這樣？

「就是他去鬼屋，拿到一張服飾店的禮券啊！他們班同學不是在店裡失蹤，然後現在都傳說是在試衣間裡不見的，他說失蹤同學有拿到這張禮券，才會去消費！」阿弟仔急急忙忙的走到李彥樺桌前，從第二層的書裡翻找，「他剛剛就把禮券夾進這本大一文法。」

毛穎德二話不說一把將夏玄允拉出來，既然想到這一層了，還敢站在這裡不走！

「如果是試衣間帶走他呢？」夏玄允小小聲的說，「合理的吧？密室消失，連衣服都來不及換……」

郭岳洋聞聲，突然放下筆記本，將李彥樺的衣櫃大開，仔細的往裡頭搜查摸索，因爲照夏天的說法，讓他覺得這衣櫃是遭受到某種掙扎，衣服才會滑下來，吊掛的衣服也才會一團亂。

「咦!?」斜斜背對著的兩個男孩，同時發出了驚呼聲。

阿弟仔拿著那本大一文法課本攤開著，驚愕不已的看向室友，再緩緩向左回頭看著夏玄允他們。

「不、不見了！」他詫異的指著畫著蒙娜麗莎的微笑那頁，「我確定李彥樺把禮劵放在這裡的！」

夏玄允即刻把整本文法課本都倒過來甩動著，「你確定是這本？」

「確定，我還記得那一頁有蒙娜麗莎的微笑！」阿弟仔斬釘截鐵。

毛穎德回身搭上蹲在衣櫃前的郭岳洋，「你又怎麼了？」

只見郭岳洋緩緩站起身，剛伸進衣櫃摸索的手，拎出了一個讓眾人臉色刷白的物體——藍白拖。

李彥樺的另一隻拖鞋，在衣櫃裡找到了。

未滿二十四小時，李彥樺的失蹤尚搆不成失蹤案，尤其大學生常常亂跑，警方更不會認眞視之。

但是「都市傳說社」卻已經認定，李彥樺進入了試衣間的都市傳說裡。

「誰能想到小小的更衣間也能這樣定義！」夏玄允語調裡盡是讚嘆，「所以不是只有在服飾店裡會出事啊！」

「你的口吻讓我很想揍你你知道嗎？」馮千靜從房裡走出，手上拿著一張白報紙，「欽佩什麼東西啊你！」

「是眞的很厲害嘛！」連郭岳洋都幫腔，「大家都以爲不要去服飾店就沒事，誰曉得會在更衣間裡出事！」

「這種狀況很糟，照理來推論，健身房、游泳池、任何有更衣間的地方都有可能跟都市傳說連結。」毛穎德坐在餐桌上咬著筆，「不過倒也不是每個人……」

「我猜是有門票的人吧。」馮千靜指指白板上的禮券，「那個說話的雕像就是餌，他們在釣回應的人。」

家庭式房子裡有個活動白板是有點誇張，但是夏玄允跟郭岳洋對都市傳說的迷戀就在於此，不管學校或是社團，隨時隨地都要有一個可以開會的白板……雖然馮千靜跟毛穎德一點都不想開這種會。

「詭異的是為什麼何芳眞跟蔡孟宏都不見了？他們不是沒有拿門票嗎？」毛穎德望著白板上的名字，那一行四人竟然都消失了。

「說不定是願者上勾。」夏玄允走到白板前，用藍筆將兩個名字框起，「他們是沒禮券，可是卻隻身一人去服飾店，而且搞不好店員知道他們是為雷小璐而去。」

「我也去了……好，我知道因為毛穎德陪著。」馮千靜擺擺手，夏玄允說的也是有理，傳說一開始就只是落單的女人，不過現在連男的也不放過就是了。

「搞不好有門票的，就能從宿舍的更衣間把人帶走。」郭岳洋翻閱著他的筆記本，「李彥樺的拖鞋在衣櫃裡，我想到就會起雞皮疙瘩。」

因為那好像是說，李彥樺從更衣間被拖進衣櫃……是的，搞不好是穿過，然後消失在衣櫃的某個地方。

「可能是另一種空間吧！我們都遇過。」馮千靜朝毛穎德看去，之前他們跟「樓下的男人」照過面，馮千靜曾經進入別的空間，「本來在試衣間消失就不是什麼正常現象了。」

郭岳洋正在做著重點，瞥向馮千靜剛扔上餐桌的白報紙，好奇的攤開來瞧，上頭畫著兩個簡易的位置圖，一個是之前那間服飾店，另一間……

「這是山腰上那間新的嗎？」

「嗯，新的店兩間試衣間是並排的，都在大門的右前方大概一點鐘方向。」馮千靜立刻坐直身子解釋，夏玄允也溜回餐桌，「櫃檯一樣在右手邊，離門口很近，左邊這一大塊全部都是陳設區。」

「但是左邊這間試衣間旁邊是個壁櫃。」毛穎德立刻指向可能是擺放包包或衣服的架子，「櫃子後面可以藏東西的。」

「或許吧。」馮千靜敲敲桌子，「現在怎麼辦？我們不知道多少人拿過那張禮券，就算沒拿到，那店開在學校附近，又有多少人會去逛？我想到就覺得差勁！」

夏玄允跟郭岳洋面有難色，看著煩躁的她。

「小靜，我們研究過這個傳說了，沒有破解法。」夏玄允語重心長，「失蹤的人唯一被找到的機會，就是在數年後別的國度，被看見的畸形秀；這還是有傳出來的，沒傳出的說不定有人一輩子都沒被找到過。」

「像雷小璐他們，現在連店都不見了，要從何找起？」郭岳洋也搖著頭，「我真的很認真做統整，但是什麼線索都沒有。」

毛穎德沉思著，他看著桌上的圖、看著郭岳洋的筆記，再緩緩抬起頭，看向白板上的記錄。

一組四人盡數失蹤，有取得禮券的，也有沒拿到的。

「關鍵在鬼屋吧！」他低沉的開口，「一切都是鬼屋開始的。」

「可是我們又去了一次，沒有人在裡面失蹤啊！」夏玄允跟郭岳洋果然後來也跑了一趟，「還是我們直接報警！讓警察去搜查！」

「不成。」馮千靜立刻打斷，「報警要有理由，搜查也要有理由，我們不能一句：裡面有活人就做數，而且那天我質疑雕像是活人之後，他們立刻生出一個活人給我，表示他是演雕像的演員——即使不同人。」

郭岳洋跟夏玄允聽得一愣一愣，然後抱怨你們原來也去鬼屋喔，居然都沒揪！

「我同意馮千靜說的，他們速度很快，搞不好都有備案，等警察取得搜索票後，裡面就眞的都是假雕像、假屍體或假殭屍了。」毛穎德抓抓頭，「我如果說我們別管了如何？別去就好了？」

「毛毛！」對面萌系少年們異口同聲的責備著，「怎麼可以這樣！」

他們怨懟的雙眼瞪著毛穎德，他知道這兩個傢伙絕對不是說：你怎麼可以這麼自私不管其他可能受害的人們！而是會說——

「都市傳說就是要探索到底啊！」郭岳洋用力握拳，「這種難能可貴的機會，怎麼可以放棄！」

「對啊，試衣間的都市傳說多久才會出現一次，錯過這次，說不定這輩子都遇不到了耶！」

「我沒有很想遇到，ＯＫ？」毛穎德沒好氣的托著腮，「啊這麼著迷，你們幹嘛不進去看看？」

登登，夏玄允立刻交叉雙臂，在面前比了個×。

「迷戀歸迷戀，但我們做人還是要理智啊！」他微嘟起嘴，但還是一臉惋惜，「那試衣間是個只進不出的地方，我如果出了什麼事，以後就不能研究別的都市傳說了。」

「是啊，我跟夏天討論過好幾次了，不落單就進不去的話，那不如不要進去了，否則所見所聞，也不能透過任何通訊系統傳出來。」郭岳洋煞有其事的說著，「還有，萬一眞的被鋸掉雙手雙腳怎麼辦？」

毛穎德挑高了眉，「還知道怕，幸好幸好！」

這邊才在調侃，身邊的女孩突然站了起來，她筆直的走向白板，看著郭岳洋在上頭寫的關係圖，人名的關係、地點的關係、鬼屋發出的禮券、神祕的服飾店、活著的模特兒、雕像、骨女……

「馮千靜？」毛穎德見她挺直的背影，突然覺得不對勁。

「是啊，都市傳說裡，發現失蹤人口唯一的地方就是畸形秀舞台，在試衣間消失的人們是要去畸形秀表演的。」她回過身子，「這舞台現在就在我們眼前啊！」

夏玄允登時一亮，「妳認爲是……鬼屋？」

「如果確定鬼屋中那些裝神弄鬼、殘缺不全的都是活人，難道不能說也是一種畸形秀嗎？」馮千靜深吸了一口氣，「試衣間裡消失的人，一定都跟鬼屋有關。」

「剛提過了，我們就算知道也無法從鬼屋把人帶出來，還有報警的話……」

郭岳洋重複著剛剛的討論，背對他們的馮千靜突然伸出左手，示意噤聲。

然後她動手，唰地從磁鐵下抽出了那張兩千元的禮券。

「誰說要從鬼屋進去的！」她回身，揚揚禮券，「都有門票了，怎麼可以浪費！」

「不可以！」毛穎德毫不猶如、一秒拍桌就站了起來，「那是有去無回的試衣間，妳腦子燒壞了嗎？」

「我也反對，我知道小靜擔心其他人，可是都市傳說不是我們可以隨便碰的！」夏玄允難得支持。

只見馮千靜俐落的轉過身，彈彈禮券。

「那我們就想個大家可以一起進去的方式吧！」她一掌把禮券砰磅的壓在桌上，凌厲的雙眼掃視著三個室友，「要我坐以待斃，辦不到！」

三個男孩莫不瞠目結舌，看著那氣勢萬千的馮千靜。

「就豆媽待，沒有人叫妳坐以待斃啊！因為沒有人叫妳去試衣間啊大姐！」毛穎德湊近了她，「妳這叫自找麻煩吧！」

「呃……」郭岳洋望著那張禮券，小心翼翼的舉起手，「那個，我知道小靜什麼意思了，她可是有這張門票的人耶！她也絕對會用到更衣間的時候。」

格鬥者訓練、健身房訓練，這些地方多的是更衣間。

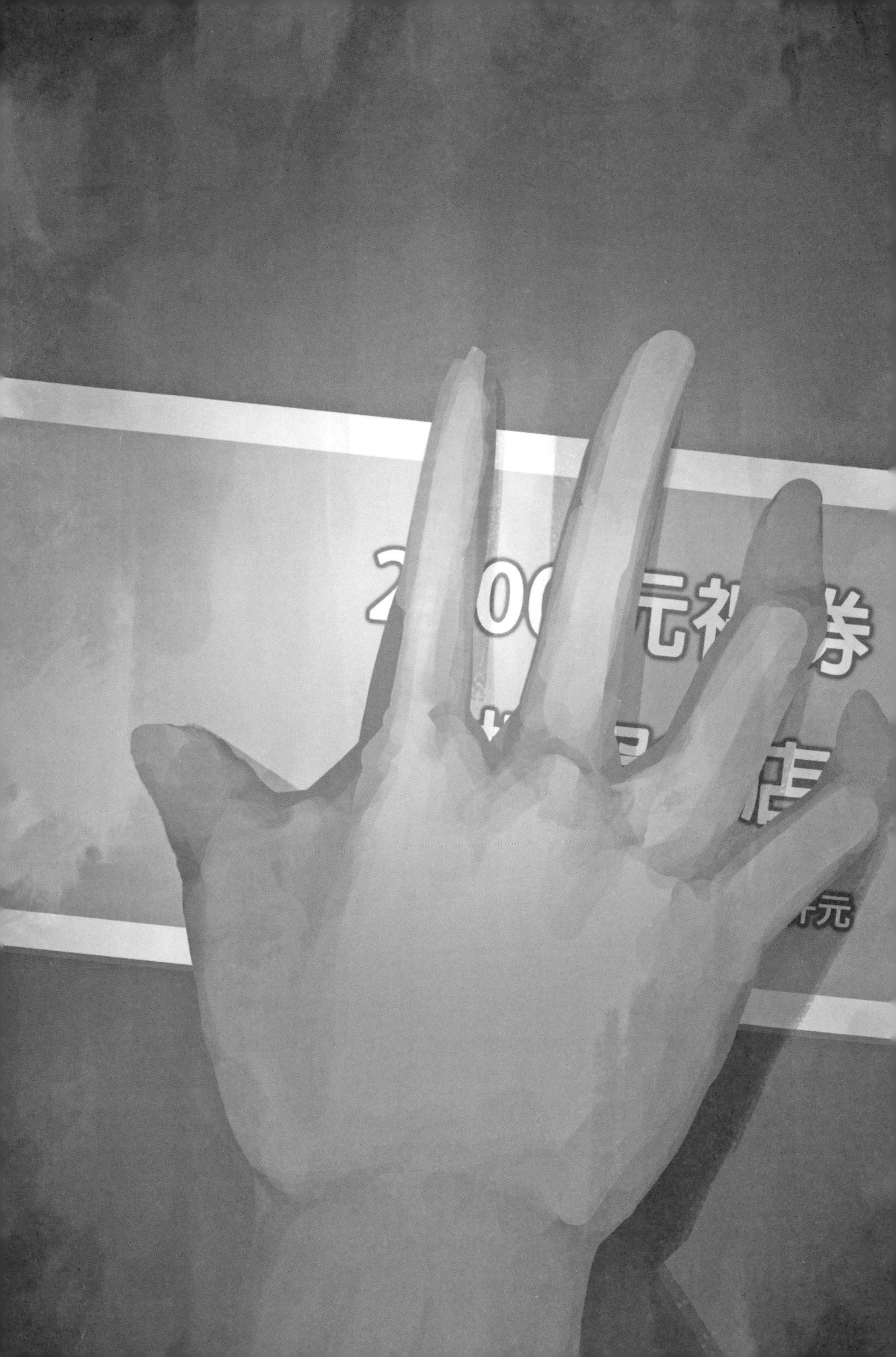

換句話說，擁有這張「門票」的她，說不定下次換衣時就被帶走了，與其這樣……不如先發制人。

毛穎德低首看向桌上的禮券，是啊，他忘了，現在李彥樺在宿舍裡都能失蹤了，馮千靜擁有這張只怕也有危險。

馮千靜手機響起，LINE的訊息傳來，她滑開手機看了兩秒，瞟向了大家，「章叔幫我查到雷小璐傳LINE給我的發話點了。」

「哪裡？」夏玄允期待的望著她。

「黑暗莊園。」

鬼屋是九點關門，但是服飾店是十一點，馮千靜算好時間，做好妥當的準備，揹著背包來到了那嶄新的服飾店；今夜燈火通明，有兩個女學生正在裡頭閒逛，所以馮千靜站在對面觀望。

「其實妳可以不必參與的。」她正在做暖身運動，舒展舒展筋骨，等等好動作。

身邊站著一身褲裝的劉品娜，她也揹著背包，刻意打扮成學生模樣，嚼著口香糖，「不行，我想去找方妍華。」

「我們不能確定這個都市傳說，跟妳當年遇到的那個是不是同一個啊！」

他們行動非常倉促，但早上劉品娜突然又跑到「都市傳說社」問了現況，這多嘴的夏玄允跟她講了李彥樺失蹤之事，又大嘴巴的說他們打算一探試衣間，結果她堅持要跟。

因爲當年她的朋友失蹤後就再也沒有事件，並不若這次的頻繁，她覺得這是難得的機會，不管大家好說歹說，她就是要來，不顧後果。

「我覺得就在這裡。」劉品娜堅定異常，「說來妳可能不信，在鬼屋時，我覺得她就在我附近！」

馮千靜正在拉筋，詫異的看著她，「我爲什麼不信？」

劉品娜緩緩看向她，眼神裡帶著點質疑、帶著點驚訝，然後勾起嘴角，「妳信？」

「拜託，消失在試衣間這種事都發生了，還有什麼不能信的！」馮千靜嘆了口氣，「我以前是不會信這種東西的，但是久了就……唉……」再嘆。

劉品娜打量著她，今天的馮千靜跟平常的印象不太一樣，她沒有戴眼境，摘下了口罩，頭髮梳整並且高紮起馬尾，穿著緊身的運動服……還是韻律服什麼的，可以看見她纖瘦但健美的體態。

兩隻手臂上甚至還可以看見肌肉！

「我說不上來那種感覺，我覺得被人注視著，而且我認爲那是方妍華。」劉品娜既堅毅又是行動派，「而且我也想知道，裡面到底是什麼樣的地方，可以這樣把人給綁走。」

「喂，劉小姐，有件事妳要知道，我覺得這不是人口飯子這麼簡單的事……」馮千靜禮貌性的解釋，「萬一是都市傳說，進去可能出不來……」

「我知道。」劉品娜瞅著她，「既然有可能出不來，那妳爲什麼要冒這個險？」

「呃……」馮千靜乾笑著，因爲她非冒險不可了啊！「因爲我覺得我們一定會出來！」

「眞有自信。」劉品娜讚許的笑著，「才大一居然有這麼強大的勇氣，如果我當年也能這麼勇敢的話……」

或許，還有機會救出妍華。

「我說到底也是爲自己，我是拿到門票的人，說不定哪天我只是運動完換件衣服就被拖走了。」馮千靜自嘲著。

所以，她才不要坐以待斃，對方都挑釁成這樣了，不上台打一場像話嗎！

「那我也是！」劉品娜笑著，她也接到了入場券啊。

「那間店不在了啊！」不過，誰也不知道都市傳說是怎麼算的！馮千靜伸長雙手拉筋，看見對面的女孩走了出來，「準備！」

她立刻拿出電話撥打過去，「我要進去了。」

『收到。』

掛上電話，她準備好門票跟那張九折的名片，輕鬆自若的往服飾店走去，劉品娜與她一前一後，同時抵達了店外。

櫥窗裡的模特兒明顯的瞟向馮千靜，甚至近乎使著眼色，彷彿一種警告。

放心。馮千靜看向他們，可以的話，我會試著救你們離開的。

叮呤呤，她推門而入，下意識的抬頭看著那風鈴……唉呀，風鈴是一樣的呢！

「歡迎光臨！」

第九章 都市傳說

馮千靜跟劉品娜一人一間，隨意拿了件衣服就問是否可以試穿，店員眉開眼笑的說沒問題，還不時提醒馮千靜說她有禮劵跟名片，多買還多划算；兩個店員分別爲她們敞開試衣間，親切得不像話。

兩間試衣間相鄰隔壁，一牆之隔，馮千靜覺得這是好事，至少她要留意的地方少了一面。

拉上門閂，她將衣服隨意掛上吊勾，但是並沒有打算更衣的動作，而是站定著，認眞的豎起每個警戒天線。

而不遠處的毛穎德拿著望遠鏡窺看，幾乎就在馮千靜她們進入試衣間的同時，店員正妹立刻上前鎖住玻璃門，將OPEN的牌子翻轉到休息中，然後另一位店員輕柔的扳動了試衣間門外的閂子。

栓鎖位在門的上方與下方，一般人根本不會去留意。

「原來是這樣啊……難怪把人帶走時不會受到打擾。」落單的試衣人孤立無援，店面又上鎖又設休息中的，根本不會再有客人進入。

不過，今天可能不太一樣了。

「好緊張……」郭岳洋眉頭深鎖，「我雖然很愛都市傳說，但是我覺得醬子太可怕了！」

「噓！」夏玄允手也拿著望遠鏡看著，「專心啦！」

專心，馮千靜站在距離門板不到十公分處，鼻尖往前些就能貼上門，雙手將背包上的胸帶與腰帶繫妥，閉著雙眼，感受著所有可能有的雜音；隔壁的劉品娜衣架子聲喀喀作響，她該不會真的在換衣服吧？

腳下陡然一晃，馮千靜腳軟了一下，緊接著左手邊吊掛的衣服竟在她眼前翻轉消失——牆壁是活動式的旋轉門，咻地轉過去，轉回的是一片白色亦有吊勾的白牆！

喀啦喀啦，聲音延伸往後，馮千靜驚愕回首，左手邊整面牆竟一格一格的全數翻轉過去，原本白淨的牆面，翻出了一個半身人，腰部以上斜斜的嵌在牆板上，一雙手伸得特長。

她想起之前在紫揚服飾店的牆，她記得總有微風透進，牆面是一格一格的，原來是活動式的嗎？

還沒想完，似骨牌般的牆面翻動未止，正對著門的底面整面牆，整個翻過去，從牆後出現一個侏儒般的人，但是他沒有停下，而是順著門又轉了回去。

再下一秒，地板動了！

喝！馮千靜立刻向上一躍，毫不猶豫的抓住了門板上緣！

「暗號！現在！」不遠處的毛穎德扔下望遠鏡，機車咻地往前衝了過去。

攀住門的馮千靜輕而易舉的撐住身子往上，隻腳踩住了門把，看著剛剛腳下踩著的地板整塊往後退去，他們之前四處都搜過，就是沒考慮過地下！

明明郭岳洋提起過的！

「呀！救命！」隔壁的劉品娜雙手也攀住門的上緣，但她不若馮千靜靈巧，只靠十隻指頭扣著，踩不到地的亂晃著。

「不要搖晃身體，妳會撐不住自己的體重的。」馮千靜鎮靜高喊，她踩著門把減輕重力，相較起來輕鬆許多。

只是沒有悠哉太久，頸側倏地一陣濕軟舔過，她嚇得差點滑掉扳門的手——

「搞什……」

仰頭上看，天花板上頭目光處處，一條濕軟的舌正往她這兒舔來；而隔壁間的天花板上直接探出了一個巨大的人，打算撥掉劉品娜的十指。

馮千靜二話不說踩著門把起身，就要翻過門板，但是才站起來，門外的店員竟手持長棍往她身上戳了過來！

「妳們真的太誇張了！」她大吼著，撥掉在旁晃盪的舌，「夠了！」

拿剛剛手上的圍巾纏住右手，馮千靜冷不防的使勁抓握住那條長舌，用力向下扯！

「咿咿！」驚恐慌亂的聲音果然由天花板裡傳來，馮千靜沒有放鬆的意圖，再更加用力的往下拽去！

現在試衣間已經沒有地板了，要摔就先摔這怪物吧……什麼人舌頭會這麼長啊？

「下去——」店員有點驚慌，彷彿沒有人這般掙扎。

馮千靜與長舌之戰突然止住，因為她看見了由遠而近的摩托車，正朝著店門衝殺過來——雙手緊扣門板，伏低身子，然後是一片玻璃碎裂琉璃音，還有店員的尖叫聲。

「馮千靜！」毛穎德的聲音傳來，他立刻抓握住店員A的長棍，直接往櫃檯狠狠扔去！

店員A劇烈撞擊櫃檯，再往地上摔去，另一個店員B嚇得步步驚退，而當毛穎德鬆開門栓時，卻聽見了詭異的破碎聲響！回頭往地上看去，店員A的身體居然摔破了……就像是一尊瓷娃娃，碎成一地。

來不及思考怎麼回事，他先把反鎖的門栓打開。

夏玄允緊跟在後，越過店員B來到劉品娜的試衣間，上頭巨大的手已經扳開了她的指頭。

「你是什麼東西!?住手!住——呀——」劉品娜的叫聲由近而遠，夏玄允打開門門不顧一切就往裡一探。

「夏天!不要急!」馮千靜見狀高喊，「裡面沒有——」

只差一秒，夏玄允整個人消失在地面之上……開門衝力太大，沒有冷靜看清，他就這麼掉了下去。

「哇啊啊啊——」

毛穎德正準備抱馮千靜下來，卻眼睜睜看著夏玄允從他眼前消失。

再呆愣著望向眼前的試衣間裡，沒有地板，眼前只有一片黑色窟窿。

「夏天!夏天怎麼了!?」郭岳洋緊張的趕到，他原本就不是負責破門而入的工作，「人呢!?」

馮千靜望著隔壁的靜默，看向毛穎德，無奈的聳聳肩。

她這間試衣間的地板開始再度出現，準備緩慢闔上。

「……毛毛!毛毛!」遠遠的，微弱的聲音由地底傳來，「你聽得見嗎?毛毛!」

馮千靜雙眼倏地一亮，使勁朝毛穎德胸前擊了一下，二話不說鬆開雙手，就往地板下那大窟窿跳了進去。

唉，毛穎德嘆口氣，雖說原本大家就希望如此，但是他還是覺得這簡直是自殺行為。

「郭岳洋，外頭就交給你了。」毛穎德回首望著他。

郭岳洋緊繃的身子用力點頭，毛穎德看著即將闔上的地板，心裡眞是千百萬個不願意——夏玄允，你是故意的對吧！

縱身一躍，他這個大男人一樣嚇得魂飛魄散啊啊啊啊——砰！

跌在柔軟的大海綿上，除了雙腳有些跳躍衝擊的痛楚外，沒有什麼太大的傷害，毛穎德躺在軟綿綿的墊子上，看著上方試衣間的地板全數關起，大概最少有三層樓的高度吧！

沒摔斷骨頭眞是不幸中的大幸。

「喂，起來了！」馮千靜踢踢他的腳，「看看這什麼地方。」

喀喀喀喀，金屬的喀喀聲傳來，馮千靜雙手抓握著欄杆，知道自己身在一個籠子裡，而隔壁有人像是拿著鑰匙，在那兒劃著欄杆當交響樂，吵死了！

「很吵！」她咕噥著，「夏玄允！」

「籠子啊！」隔壁的聲音太過欣喜，緊接著出現了那清秀可愛的臉，緊貼著欄杆，「我們在籠子裡耶，跟都市傳說一模一樣！」

「傳說有這條嗎？」毛穎德站直身子，扭扭腳踝。

「有啊……噢，是說後面畸形秀那邊，有的人是被關在籠子裡的啦！」夏玄允開心的繼續用金屬類的東西一個個來回刮著鐵欄杆，「天哪！我竟然在體驗都市傳說！」

「我可以請問這有什麼好開心的嗎？」

森泠不悅的聲音自夏玄允背後傳來，馮千靜淺笑著，很高興劉品娜沒事。

「當然啊，我們正在都市傳說中啊！」夏玄允還有空回頭，握住她的雙手，興奮的大喊著。

毛穎德早已取下背包，從裡頭拿出了不明物體，「先出去再說吧！馮千靜，打燈，這裡太暗了！」

嗯哼，馮千靜立刻從背包裡拿出來手提強力ＬＥＤ燈，很大座也相當沉重，一推按鈕，刺眼的燈光大作，同時也照亮了在籠子外頭的景物！

「啊啊啊……」

幾個不成人形的東西迅速退開，他們驚恐的喊叫著，每個人都能聽見隨著他們移動傳出的鐵鍊聲。

「別開。」毛穎德拿著切割器，戴著專業墨鏡，要馮千靜別開目光，免得傷眼。

劉品娜背對了夏玄允，簡直瞠目結舌，這些學生隨身帶著切割器？

沒有十秒，毛穎德一腳踹開籠子，俐落鑽出後，也拉著馮千靜離開；當劉品娜被夏玄允拉出來時，還是一臉驚愕。

「為什麼你們會帶……」

「所有跟這個都市傳說有關的東西，我都備齊了呢！」夏玄允瞇起眼，得意的笑著，「畢竟這個很險惡嘛，道具要備妥，就跟大冒險一樣！」

「不一樣！」馮千靜立刻反駁，拿著強力手電筒照著四周。

籠子一個接一個，連成一長串，扣掉他們剛落下的那兩個，左右也都還有，每個籠子裡都有軟墊，但是也有著令人覺得噁心的臭味。

「好像有東西壞掉的味道。」毛穎德掩鼻上前，「我們隔壁籠子地上有染血的繃帶。」

夏玄允也打開了手電筒，朝著左邊的籠子邊照去，那邊有雙眼睛正望著他們。

「要問路嗎？」夏玄允看著，其實在他們四周都有人。

「嗯嗯……」右邊的黑暗中，突然傳來聲音，緊接是啪、啪、啪的節奏聲響，有個「人」緩緩現身。

來人沒有雙手，但卻有四隻腳，如同蜘蛛一般用四隻腳爬行走著，他四隻腳生長的位置也跟常人不同，宛若動物，前面那對腳很長、後面那雙腳較短，長得也不像一般人類。

「嗯嗯唔！」他喉間發出聲音，有點激動的用右腳指向他們的後方。

毛穎德看過去，在籠子左斜前方，幾乎是越過這大片廣場的角落有個高台，走上去後似乎是有一道門，「那邊嗎？」

「嗯嗯！」對方用力點著頭。

馮千靜蹙著眉試探往前，手上的手電筒光線太強，讓對方忍不住用手……用腳遮掩。

「啊，對不起。」她連忙別開光線，再靠近了一步，「你是……人還是鬼？」

對方顫了一下身子，幽幽的看向馮千靜，淚水就這麼滑落下來……人嗎？她喉頭一緊，有人天生會長這樣嗎？

對方突然撐起前身，張開嘴巴，毛穎德上前探視，看見短短的舌根，他沒有舌頭。

「舌頭被拔了。」不等毛穎德開口，夏玄允便幽幽的說，「在這個傳說裡出現過的人，沒有一個會說話的。」

「嗯嗯嗯！」對方用力點著頭，拍拍自己的喉間，再搖搖頭。

馮千靜燈光移到他的左腳，上頭繫了腳鐐，這就是剛剛退散時，一屋子的鐵鍊拖曳聲啊！

「每個人都有被腳鐐鎖住嗎？」她指指他左腳。

那人點點頭，突然挺直上半身警覺的向上看，緊接著激動的拼命指向剛剛那扇門，「唔唔！唔！偶偶！」

毛穎德扳過了馮千靜的身體，一邊後退，「走！快走，他叫我們走！」

夏玄允立刻回身，意欲拉著劉品娜一起跑。

「等等……」她驚慌的回頭，「你們認識方妍華嗎？十年前有個高中女生，方……」

「別問了！」夏玄允趕緊推著她往前，「試衣間在世界各地擄人，大家不會知道彼此的名字的！」

可是……劉品娜被拽著一起走上了木製階梯，階梯底下突地睜亮了好幾雙眼睛，一走上去毛穎德看見了那蜘蛛人指的門，這扇門相當的大，連剛剛天花板上的巨人都能通過。

毛穎德深吸了一口氣，顫抖的手數次舉起又放下，沒有人知道門的對面是什麼，這麼貿然打開的話，無法預料有什麼在等待他們！

這裡一共有七個門，由左至右一個ㄇ字形，回頭看去剛剛那蜘蛛人已經不知道躲到哪裡去了，他們剛剛表現得不只是緊急，還有害怕。

果不其然，在第六道門那兒，傳來了聲音。

「唉！走了！」馮千靜沉不住氣，一馬當先搶到毛穎德面前，立刻扭開了門把！

馮千靜！毛穎德急忙扳住她雙肩，做事可以不要這麼衝嗎？

啊啊……光線照入，他們雙雙驚愕的看著眼前一室通明，身後的聲響逼近，沒有思考的時間，毛穎德推著馮千靜往前，夏玄允也迅速的拉劉品娜跟上，然後輕巧的關上了門。

馮千靜緩步走出，眼前是個奢華典雅的客廳，有著十八世紀歐式的沙發、茶几、櫃子與典雅裝潢，連牆上的電話都是復古式的轉盤電話；她回首看著自己竟從樓梯下的暗門出來，那位置在歐洲某些國家是碗櫥，善用樓梯下方的空間。

「天哪……這裡是……」劉品娜驚愕的說不出話來，環顧著偌大的場景，以燈光造成的白天光景。

「黑暗莊園的五樓！」夏玄允準確的道出位置，帶著讚嘆。

鬼屋跟試衣間的都市傳說，果然是一體的呢！

一如平時參觀鬼屋一樣，人工燈光將屋內照得宛如白天，然後才會配合嚇人技倆將燈光暗去，讓參觀者嚇得抱頭鼠竄。

他們現在身在五樓的客廳，老實說馮千靜根本不認得每一層的裝潢，她永遠都只有一條路：直衝出口。

滋……空中出現雜音，這聲音有遇過的都熟，在鬼屋遊戲期間，遇到某些狀況時，會有緊急廣播，之前有人意圖拍照時，就有類似的警告廣播出來。

『嗶——』刺耳的聲音先響起，人人紛紛掩耳，『特別來賓，你們嚴重違規了。』

這聲音與平時倒是如出一轍，是鬼屋的工作人員。

『新來的，請回到你們的籠子裡！』聲調依然是親切好聽，『改造人員將稍後前往。』

「當我們是白痴嗎？」馮千靜厭惡的高喊，「我找人！雷小璐！何芳眞、蔡孟宏還有李彥樺在嗎？」

彷彿聽得見她的高喊，廣播那端沉默以對，只有音響的沙沙雜音；毛穎德謹愼的環顧四周，如果能用廣播找人的話，說不定會比較快，只是剛剛聽見廣播裡說的，回到籠子裡，改造人員即刻前往的說……讓人感覺似乎試衣間裡墜落後，就會即刻受到某種程度的「改造」。

李彥樺也消失近二十四小時了，這點讓他心有不安。

『請回到籠子裡。』聲音換成了女孩子，馮千靜可認得了，這是裡面最正的那位，也是一直很「關心」她的那個正妹工作人員，『你們應該待在籠子裡！』

「別跟他們廢話了，我們找人要緊。」劉品娜根本等不及，扭頭就走，「如果可以，看能不能救出所有被抓的人！」

「等等等等——」夏玄允連忙拉住她，「妳要怎麼找人啊？」

「一間一間找啊！」劉品娜說得氣定神閒，「我邊找邊喊，只要妍華聽見，她就會出現的！」

「萬一動不了呢？妳剛剛看到那個蜘蛛人了吧？」夏玄允死扣著她，「有的人是帶不出去的！」

夏玄允沒說重話，他一直都跟夏天一樣燦爛開朗，所以不曾說話傷過人，總是笑著跟大家相處，用婉轉的方式解決難題。

馮千靜下意識的握了握拳，但是她聽懂夏玄允沒說出來的話，卻也不想承認。

毛穎德見狀，大家不想說那他來說，「如果如都市傳說般變成不倒翁，或是被做成剛剛那種畸型模樣，他根本跑不快，妳也扛不動。」

變成不倒翁……馮千靜別過了頭，做了幾個深呼吸，「我要去找人了。」

「別擅自行動，我們一起——」毛穎德抓住她的背包，只是說時遲那時快，燈光陡然一滅！

密閉空間絲毫不可能透進外頭的光亮，燈一熄就是徹徹底底的黑暗，馮千靜跟夏玄允手上的手電筒同時亮起，儘管光芒驚人，但是在黑暗中的照明還是添了一絲不安與詭譎。

「不回到籠子可能不會放我們罷休。」夏玄允立刻蹲下，翻找著包包，「毛毛，你背包裡也有手電筒！」

「不急，不要大家都開，省電。」馮千靜出聲制止，「你們都知道出口是哪條路吧？」

「出口有好幾條呢。」夏玄允突然塞給毛穎德一張紙，「一人一張，地圖！」

「地──」馮千靜錯愕的接過，在燈光下攤開那張A5紙張，居然三四五樓的地圖都有！「你怎麼會有這個？」

「天哪！」劉品娜也拿到一張，她手指著五樓中心，「我們在這裡。」

「我跟郭岳洋上次來鬼屋時背下的，我們在裡面超久的，把每個重點都記下來，反正他們又沒有限制參觀時間！」夏玄允在這種情況下還能驕傲，某方面而言馮千靜真的很佩服他。「有些出口我們沒走就不能確定，但是平面圖跟機關都畫上去了。」

劉品娜開始用讚嘆的目光看著夏玄允，她原本以爲這只是大學生打發時間的社團，沒有想到居然會認眞到這種地步！

「還是一起行動。」毛穎德有所堅持，「我們不知道我們要對付的是什麼，分開的話會有危險。」

「可是這樣浪費時間，我們要找的人可不少。」劉品娜將地圖折疊好放在掌心裡，「不如大家都在五樓活動，約著等等在這裡碰頭？」

「妳以爲在逛街嗎？劉律師？」毛穎德覺得厭煩的就是，他們四個人中，現在只有他很認眞的在看待這間鬼屋。

正如夏天所說，他們身在都市傳說裡，從試衣間消失的人們怎麼了？人間蒸發？不是，而是變成畸型秀的人員，剛剛也都瞧見眞人實證、也聽見了廣播，所以等在他們面前的命運，就是成爲這裡的一份子。

這種情況，是爲什麼還可以這麼輕鬆？

一個只想找十年前失蹤的朋友，不知輕重；一個走火入魔的巴不得親身體驗都市傳說；另一個腦子根本沒想這麼多，她只知道進來、找人、閃人，簡簡單單，跟今天有人敲鐘，她上擂台負責把對方打趴就下台一樣。

他可不這麼認爲，打從進入開始，他全身上面的每個細胞包括髮尾都在跟他說：你進來找死嗎白痴！

「都喊喊看吧，這個我也有準備！」夏玄允邊說連道具都架好了，「我手機錄好大家的名字，這個小小的是藍芽擴音器，這樣可以很快讓大家都聽見……劉律師就專心叫方妍華就好了。」

「哇！」馮千靜不可思議的看著夏天，「你好強喔，你連這種事都想好了！」

「嘿！」夏玄允笑得一臉這彷彿只是一場夜教。

拖曳聲開始傳來，鐵球、鐵鍊，還有一些沙沙音，馮千靜警覺的轉過身開始用手電筒照耀，只看到黑影掠過。

然後，刺耳的電鋸聲，在黑暗中響起了！

什麼!?毛穎德聽出聲音在他們的左前方，忙不迭拉過了馮千靜往後退，此時此刻，他們的身後、剛剛走出的樓梯下方，也傳來了電鋸聲！

『請回到籠子裡，請回到籠子裡。』制式的聲音開始繼續廣播，『畸型一個、雕像一個、肌肉人一個、不倒翁一個。』

夏玄允還在那邊扳手指算，一二三四，望了一下自己加上身邊的人，「是在說我們嗎？」

「走了啦！」馮千靜氣急敗壞的喊著，推了他一把，大家開始亂跑，「怎麼跑？」

「下去四樓！」夏玄允方向準確，即刻想往寬敞的紅毯樓梯奔去，但是在下樓前卻看見龐然大物就站在樓梯間！

那是個巨人，會說巨人是有原因的，因爲他雖然是人模人樣，但是身高超過兩百公分，體型壯碩到是正常人的兩倍，手上拿著一把開山刀，面無表情的走了上來。

所以夏玄允煞車，可一旁帶著電鋸的人也已經走出來了，馮千靜手電筒照過去，看見一個清秀的男孩拿著電鋸。

「那是鬼屋的工作人員！」她不可思議的嚷著，毛穎德拽了她就跑。

跟著夏天，直接衝進了五樓客廳邊的第一間房。

根本沒人有時間看地圖，他們只能跟著繪製地圖的夏玄允跑，或許很可靠吧……毛穎德是這麼認爲，在都市傳說這方面，夏天是絕對不馬虎的。

「把門卡住！」夏天一跑進去就大喊，劉品娜摸黑什麼都瞧不見，硬是絆了一跤。

「椅子！」毛穎德用手抵著門，指著一旁的椅子大喊，馮千靜立刻衝過去，抓住椅子一回身就往他這邊甩來，「喂——是要殺我嗎!?」

抱怨歸抱怨，他還是準確的接住椅子，將椅子抵在把手下方，意圖卡住門。

「對方不會用電鋸劈開嗎？」馮千靜邊說邊認眞的照著整間房，「這裡面黑七抹烏，天曉得有什麼！」

「破壞自己道具是一回事，另外他劈進來也好，我們先準備好的話還更好對付。」毛穎德邊說，人就站在門邊，隨時注意著會不會眞的有電鋸劈來。

他們身處在一間書房，有書櫃也有書桌，也完全是歐風陳設，一邊有小沙發供會客使用，跌落在地的劉品娜正撐著身子，跪坐在沙發前。

「書櫃裡有殭屍，吊燈會掉下來，還有……」夏玄允說著鬼屋的機關，指向了劉品娜，「沙發下……」

一隻手倏地唰出，抓住了劉品娜的手腕。

「哇呀——」她措手不及，立刻被往沙發下拖去。

馮千靜即刻滑步上前，使勁一腳就朝拉著劉品娜的手用力踩去！同一時間，吊燈掉了下來，旁邊的書櫃突然櫃門被推開，書本紛紛滾落，掉出了一個殭屍。

被踩手的傢伙沒鬆手，馮千靜一邊抓著劉品娜，左手順勢拿過桌上花瓶，直接朝著才起身的殭屍頭上砸過去！

夏玄允連忙到小沙發邊，乾脆的將沙發整個給翻過去！

「哇啊啊……」沙發底下的攻擊者立刻現形，那是個只有兩隻手的乾瘦男孩，嗚咽的嚷著，瞬間鬆手，以手代腳的倒退意圖躲藏。

「去哪裡！」馮千靜一躍而起，跳上翻倒的小沙發，直接衝向落跑中的男孩，一個凌空飛踢就把他給踢倒在地，壓制！「你，不許動！」

邊喊邊半坐起身，左手一個勾擊，圈著殭屍的頸子往地下就是一壓。

「唔啊！呃呃呃！」殭屍激動得手腳揮舞，聲音帶著恐懼，兩隻手臂健壯的男孩身體被壓住，但滿是肌肉的手卻格外有力，反攫住了馮千靜的手臂。

直到一隻腳踩住他的身體，「喂！別亂動。」毛穎德冷冷的睨著他。

劉品娜驚魂未定的站起身，望著自己通紅的手，嚇出一身冷汗，夏玄允則是不時留意著抵住的那扇門，電鋸聲消失了，他反而覺得不對勁。

「抓人做什麼？回籠子嗎？」馮千靜喊著，再用英文說了一遍，分別檢測脈搏，不無意外的都是活生生的人。

「你們是在服飾店被抓來的人嗎？」毛穎德鬆開了腳，男孩立刻撐著立起。法文、英文、劉品娜會日語，每個語言都試著說了一次。

殭屍低垂下頭，他身上有著腐爛的傷口，殘缺的身軀，因爲是殭屍，所以那些傷口永遠不能好。

男孩再度以手代腳，俐落的躍上翻倒的小沙發，「走」向劉品娜。

「喂！」

馮千靜警戒的上前，抓起了一本厚重的書。

「啊啊、啊啊啊！」男孩對著劉品娜說著，一邊用一隻手往樓下指，「啊啊！啊啊！」

「我聽不懂……」劉品娜知道他想說些什麼，但舌頭被拔掉的他們，眞的完全不明白意思啊。

「啊、啊、啊！」男孩很用力的說著，緊張激動的，「啊、啊、啊……」

閱讀著嘴型，劉品娜意外的發現他們說同一種語言，他說的是方……妍華？

「……你說方妍華!?」她突然瞪圓雙眼！

男孩極度用力的點頭，指指樓下，比了個四。

「四樓？方妍華在四樓，十年前來的嗎？」劉品娜激動的喊著。

男孩用力點頭，突然身體一僵，轉頭看向書櫃的方向，這讓馮千靜察覺不妙，因爲連殭屍先生都疾速驚恐的一溜煙躲到書桌底下了。

「馮千靜！」毛穎德沉穩的說，「離書櫃遠一點。」

因爲她現在，就站在書櫃的正前方，那敞開的書櫃裡……有著喀喀聲響，然後繩繩繩繩，電鋸的聲音又響起了！

書櫃冷不防對開，走出的人超熟悉的，就是那個正妹店員。

「請回到籠子裡。」她一走出來，一個一個打量著他們，「請回到……不倒翁。」

她的眼神落在馮千靜身上，高舉起電鋸，二話不說就衝了過來！

不倒翁？不倒翁？那正妹現在是在說她是不倒翁嗎？把手腳鋸斷，讓她在地上跟不倒翁一樣搖晃著？是在開什麼玩笑啊！

「小靜！跑啊！」夏玄允緊張的繞過沙發帶走劉品娜，馮千靜傻了嗎？居然站著不動。

她怎麼可能跑啊！你有看過擂台上的格鬥者會背向敵手的嗎？這種狀況，她就是下定決心要跟正妹拼了啊！

正妹持著電鋸朝著馮千靜的手臂劈去，馮千靜沒有使用腳踢，她擔心萬一踢出去有機會被立刻鋸斷，所以幾乎是等正妹近身後，原地用力一扭腰，向左邊閃轉九十度，冷不防的雙手抓握住正妹的手臂！

不確定自己力量能否敵過她，立刻借力使力，順便舉起腳，由側面將正妹往翻倒的小沙發那裡推去！

「哎！」毛穎德正推著夏玄允他們兩個往前，一起到書桌底下問著殭屍，「哪個門？」

殭屍抱著頭，恐懼得全身發抖，還是指向了角落右邊那道門，只是抬起頭時，夏玄允早就已經跑向那扇門了！哎唷，想想也是，夏天早知道位置的啊！

回過身子，正妹平衡感一等一，並沒有因此摔倒，踉蹌後穩住重心，抓著電鋸再次朝馮千靜衝來。

毛穎德抓起書桌上的電話，一把扯斷電線，「馮千靜！蹲下！」

蹲？馮千靜不曾猶疑，聽令原地蹲下，順道再往後滾了一圈，遠離電鋸可能

攻擊的距離——然後看著舊式電話，狠狠砸上了正妹的胸口。

鏗！

鏗？馮千靜錯愕的抬頭看著正前方手持電鋸的正妹，她詫異的看向右前方的毛穎德，然後低首看著自己的右臂與前胸……碎片一片片崩裂，她的右手握不住沉重的電鋸，裂痕迅速擴展，終至於整隻手臂落地。

「馮千靜！」毛穎德大喊，「閃人！」

「好……」她一骨碌起身，就算滿腹疑惑，還是轉身朝毛穎德奔去會合。

已經打開門的夏天在那兒接應著，臉色卻突然丕變，「後面——吊燈！」

他突然大叫著，指向他們的身後，毛穎德沒有時間回頭，但眼前的牆因為馮千靜的手電筒燈光，照映出影子，一個龐然大物從他們身後飛來了——散！

默契十足的，他們彼此推開了彼此。

晃動的吊燈從他們中間掃過，毛穎德摔向了右邊，夏玄允連忙接過，而馮千靜自然摔向左邊，踉蹌的撞到了那邊的鏡子……然後鏡子一百八十度旋轉，唰——

她消失了。

什……毛穎德驚愕的看著眼前還在晃動的吊燈，以及對面鑲在牆上的立身鏡，然後呢？

「馮千靜！馮千靜——」

第十章 畸形秀

她跌撲在地上。

莫名其妙一陣天旋地轉，馮千靜什麼都不知道，就被離心力甩到地上，但是非常時期她不敢鬆懈，在擂台上疏忽一秒，就有可能被對手連續攻擊。

眼前一道刺眼白光，來自她手上的手電筒，爲免驚敵她一回神就趕緊關掉。

這裡似乎不需要光線，因爲她身處的地方是有燈的，黃色的燈光，並不十分昏暗，只是在前方不遠處。

蹲在地上仔細的觀察四周，她是從鏡子裡被轉進來的對吧？剛剛夏天說過這裡有什麼？他那時好像沒說完，但這是個嚇人的機關，她現在處在一個磚造的走道中，還相當的寬敞。

走道上有光線，然後其中有一種嗡嗡嗡的聲響，像是引擎運轉的聲音。

沉重的手電筒的確可以當武器，但馮千靜還是輕手輕腳的從背包裡拿出她的棍子，棍子才是她擅長的，至少格鬥場上很常用。

現在她得格外留神，因爲……現在只有她一個人了。

難得太平，她看了一下夏天給的地圖，卻沒有這個地方，但概略知道方位就好。

機器運轉聲不斷，馮千靜站起身，試著想從原路回去，卻聽見了外頭的電鋸聲與那些工作人員的聲音。

『立刻把他們帶回籠子裡！』

『爲什麼會離開籠子？』

『爲什麼一口氣進來這麼多人？』

啊啊，她都記得誰是誰，鬼屋的工作人員個個都是年輕的帥哥美女……等等，正妹剛剛碎了，她破碎的模樣不見血，好像是個瓷器？

瓷娃娃嗎？才會這麼漂亮無瑕？

工作人員個個俊男美女，馮千靜忍不住打了個寒顫……難道說像人的其實都是雕像或瓷偶，而這裡不像人的卻全都是人？

天哪！這是什麼世界！

她放棄原路出去，盡快的離開鏡子後方，她不確定有誰看到她摔進來了，此地不宜久留。

放輕腳步，她幾乎用腳尖走路，走道明亮且足足有兩公尺寬，詭異的是地上均灑滿黃土，地上還有一種拖曳痕跡。

不是鐵鍊或是腳鐐，而是相當寬敞的帶狀痕跡，而每個間隔固定距離還會有個頓點。

馮千靜到了轉角處，小心貼牆，全身都在發冷，心跳得疾速；偷偷向右一瞥，依然是條走道而且空無一人，她大膽的右轉，下一個路口有左右兩個出口，她朝右探，還是走道，但是機器運轉聲在左邊，她是不可能不看的。

這麼神奇的地方，聲音代表什麼呢？

一秒瞥過去，看得不甚清楚，只看到好像有個高台，那邊的燈特別亮，吊了許多東西，高台旁有個大引擎隆隆作響。

再一次。馮千靜做了個深呼吸，不要怕！

好像……有哪裡怪怪的？她緊握著雙手的武器，屏氣凝神，剛剛沒看到有什麼人在附近，她大膽的向左彎進這片大空地，沿著左邊牆面的死角，逼近中央牆邊的大高台。

越近她看得越清楚，高台左邊有個巨大的桶子，有管子從桶子裡伸出，橫跨了整個高台，主要大管線上有個數支分枝小管，像一般果園裡的灑水器，不一樣的是灑水器是水柱向上，但現在這些分枝管是往下。

固定距離一根又一根，汲取大桶裡的東西，藉由小管分散給下方的每個……每個……

夠近了，馮千靜看清楚了那些分枝管下的東西！

那是一尊一尊、穿著五彩斑斕衣裳的——不、倒、翁。

管子從他們的嘴裡插進去，那根本是胃管，食物從大桶裡抽取後，直接灌進他們的胃裡。

馮千靜緩步上前，簡直不敢相信親眼所見，這一個個不倒翁都是活生生的人啊！他們痛苦卻無力掙扎的被放在那兒，被強硬灌食，讓肚子變得又圓又大……才能符合不倒翁的形象？

一個走過一個，不倒翁們臉色痛苦的緊閉著雙眼，眼淚跟鼻涕流得到處都是，卻只能任人宰割。

然後，馮千靜看見了最後兩個不倒翁的手腳都還裹著繃帶，而她們的肚子並不特別大，身型也還算纖瘦，甚至保有她記憶中的臉龐！

「雷小璐？」她失聲喊了出來，「何芳眞？」

先睜開眼睛的，是倒數第二個紅金色調的不倒翁，她發直的雙眼望著前頭不倒翁的後腦勺，有些遲緩；她後面那個是橘色調的不倒翁，皺著眉半睜著眼，淚水流得比食物快。

「雷小璐！何芳眞！」馮千靜不顧一切的上前，用棍子敲打著高台上的欄杆，「我在這裡！」

喝！雷小璐顫抖著斜睨向下方的人，眼神裡盈滿了不可思議。

「啊啊……啊啊啊——」她突然痛苦的狂叫著，模模糊糊的喊著她的名字，馮、千、靜！

何芳眞倒抽一口氣，也睨向了她，插管讓她們無法動彈，一條管子卡在咽喉裡，頸子實在難以轉動，但是那激動之情溢於言表，不倒翁開始晃動起來！

「天哪……」她忍不住掩嘴，「眞的是妳們！爲什麼——怎麼會變成這樣!?」

馮千靜抓著欄杆，翻身就上了高台，站在兩個不倒翁旁，顫著手摸著她們的肩頭，讓她們感受到她的存在；她們的手都不見了，自肩頭以下什麼都沒有……腳呢？她蹲下身子檢視，大腿根部被鏟除得一乾二淨，一點點多餘的腳都沒留下，整個下半身只有渾圓的屁股，滲血的繃帶染滿了黃土，難道——

「妳們用這樣的腳走路？」她不可思議的跳起來，「他們逼妳們用不倒翁的方式前進？」

黃土上的拖行痕跡，染著血的土壤，她終於明白是怎麼回事了！

腦海響起正妹店員曾如何解釋會說話的雕像，「我們在找聽得懂的人，那才能聽出可怕的精髓呢！」

眼前的種種，眞的就是可怕的精髓啊！

「太過分了！」她動手想拆掉管子，「我帶妳們走！等我……」

只是她伸手才扯到管子，雷小璐就痛苦的大喊——「啊！」

馮千靜嚇得鬆手，如果這是胃管的話，管子太長，她沒辦法……左顧右盼，這大管子那邊應該有機關，能將所有管子同時抽起，或是高台可以升降……

「偶！」何芳眞突然出聲，「偶！」

「我一定能想到辦法的！」她準備下去找機關。

「嗯嗯！」雷小璐突然痛苦的輕晃著頭，「嗯！」

馮千靜彷彿聽得懂這語調，不解的望向她們，「妳們要我走？」

何芳眞用眨眼代替點頭，又快又急。

「開什麼玩笑！我怎麼能把妳們放在這裡，我一定要帶妳們走！」馮千靜大喊著，「我是進來找妳們的啊！」

雷小璐望著她，痛苦的閉上雙眼，淚水泉湧不止——這樣的她們，要怎麼走啊？

沒有雙手與雙腳，連在地上搖晃都會劇痛，根本不可能離開這裡，更何況——回去之後，她們未來是怎麼樣的人生？

何芳眞眼神不停的往後瞟，嘴裡插著管不停的說著偶偶，剛剛她聽過，那是走的意思……連何芳眞都叫她走。

「蔡孟宏跟李彥樺都進來妳們知道嗎？」兩個人均痛苦的闔眼，「我是爲了帶你們走才回來的！」

雷小璐睜眼，輕微的搖頭，「GO。」這是她勉強能用喉間音發出的聲音。GO。馮千靜心裡千百個不願意，但是現在她無法取出伸進她們胃裡的胃管，也眞的無法同時帶她們兩個人走，不倒翁能怎麼移動？但是看著她們滲血的雙腳斷口，她怎麼能拖著她們走？

「我去找人！」馮千靜冷靜的看著她們，「不是只有我進來而已，夏天他們都在，我現在就去找他們！」

雷小璐痛苦的喊著類似不要的發音，頭微弱的搖著，後頭的何芳眞不停的重複著GO，急切的像在趕她走。

「等我就是了。」馮千靜逕自說著，「我得先跟他們會合……」

何芳眞眼神往她身後瞟去，不停的使著眼色，馮千靜回首，那是來時路……啊，也是唯一的路。

「從右邊那條嗎？」馮千靜頷首，輕巧的翻身躍下地板，「我會盡快的。」

「Au revoir！」雷小璐輕聲的唸著，喉間音她還能發。

法文的——再見。

馮千靜凝視著她們，事不宜遲，只要能力所及，就應該把她們救走啊！她立即回身奔跑，奔回了剛剛的廊道，這次直接往右邊那條前行，這兒沒有地圖眞的非常非常麻煩……

「呼……」

黃土地遮掩著足音，卻掩不住其他喉聲，更無法隱藏壓力，馮千靜挺直背脊，感受著後面傳來的陣陣敵意。

回眸，是四足動物，很遺憾的並不是狗。

彩繪斑斕的黑豹，足足有半人高的壯碩，緩步的跟在她身後。馮千靜瞪圓雙眼，有沒有搞錯？現在連豹都出現了！這不會也是人去改的吧？

只是，望進黑豹的雙眸，她發現牠眼底沒有靈魂，瞳孔連動都不會動！

但是能跑就行了！馮千靜緩步後退，黑豹舉步向前，走路姿勢有點僵硬，她嚥了口口水，緊握飽拳，下一秒扭頭就跑！

這太誇張了！鬼屋裡什麼時候有這個東西的？她來過兩趟也沒有這種攻擊性生物啊！難道是來看守被抓來的人？像雷小璐手腳都被斬斷了，哪有可能跑啊！

人的潛力無窮，尤其背後有一隻豹在追的時候，馮千靜比平常跑得更快，機車的是廊道裡沒有其他岔路，她只能順著路一直狂奔，連探視的機會都沒有……

等等，她突然想起在哪裡看過那隻豹了！

牠是四樓偏廳的裝飾品雕像啊！對！黑色的底，五彩的斑點，只是雕像？

再轉了一個彎，馮千靜差點因煞不住而跌倒，扶著牆勉強繼續往前，眼看著前方近似絕路，有一扇玻璃門就在正前方……玻璃外是巨大的花盆，啊啊，那是四樓通往五樓的平台裝飾，巨大的白色花盆上頭插滿了花。

那邊一旁有立身鏡，原來這是雙面鏡——跟剛剛一樣，是旋轉門！

「吼——」黑豹一躍而起，跳上牆面，借力使力的反彈，直接轉彎朝馮千靜撲去。

她狠狠倒抽一口氣，戛然止步，因此黑豹即將落在她面前，並不會撲上她！牙一咬、心一橫，她側過身不顧一切的向前衝撞黑豹，把牠整隻撞向了近在咫尺的玻璃門。

「嗚吼——」黑豹驚訝低吼，撞上旋轉門，喀啦咻地就轉出去了。

這一轉，牠狼狽的飛出，落地後向前滑行，不偏不倚的撞到了正衝下來的某位型男。

「啊！」型男手持電鋸，根本措手不及，直接絆到了滑來的黑豹，向前撲向了長長的階梯。

「哇啊啊！」下方夏玄允大叫著，幾乎是連滾帶爬的滾下階梯，還一塊兒撲倒了前頭的劉品娜。

夏天！馮千靜趕緊也轉了過來，才發現原來夏天他們剛剛才經過而已！

站在四樓樓梯下的毛穎德趕緊把夏天跟劉品娜扶起，而上頭的型男往下滾落後，頭、手、腳跟身體頓時碎去，最後運轉中的電鋸也咚咚咚的滾到了他們腳邊。

毛穎德立即將電鋸拿起，關掉電源，這眞是個太好用的武器了！

平台上的黑豹立即起身甩甩頭，而牠身後曾幾何時居然出現他們都熟悉的身影——馮千靜？她剛從哪裡出來的？

只見馮千靜躍上旁邊的木頭扶把，順勢滑下，黑豹一瞧見她，立刻助跑躍上撲來。

「請回到籠子……回到籠子……」停留在樓梯階上那破碎的頭顱，還在重複著這樣的話語。

「跳下去！」毛穎德突然衝向扶板下方，拉動電鋸。

跳？才滑到一半的馮千靜咬牙翻身硬往右邊翻滾下去，所幸樓梯不高，她身子柔軟平安落地，而撲來的黑豹正對向毛穎德，電鋸雖然不太好控制，但是黑豹這麼大隻，隨便劈總劈得到吧！

刺耳的鋸開聲傳來，夏玄允拉著劉品娜拼命後退，他們四周的雕像們紛紛皺起眉，像是恐懼於這般的聲響。

落地的馮千靜趕緊繞出來，聽見的是重物落地聲，還有不止的繩繩繩。

黑豹的前肢斷落，摔了下來，馮千靜看著伏在樓梯上的黑豹，無論如何牠再怎麼努力，也都站不起來了。

「你準度好差喔！」馮千靜咕噥著，她原本以爲這麼帥氣可以劈開牠身體的。

「拜託！妳自己拿拿看，整個都在晃又重得要命！」毛穎德皺眉，眞想把電鋸扔給她。

馮千靜彎身大膽的拾起黑豹斷掉的前肢，硬度驚人，「這是大理石嗎？」

毛穎德接手打量，再看著在樓梯上痛苦掙扎的黑豹，的確看來不似活豹般柔軟，僵硬許多；他再看向破碎的型男，這間鬼屋裡，好像有某種隱藏的規律？

「小靜！」夏玄允衝了過來，「妳沒事眞是太好了，我們剛剛在五樓差點就被殺掉了！」

「嗯……」她神情有點低落，「大家都沒事就好。」

劉品娜站在一旁上氣不接下氣，這一切跟她想像的完全不太相同，爲什麼會有這種詭異的地方，可以任意殺人，任意進行手術，還有……

「妳剛去了哪裡？」毛穎德看出馮千靜的神情有異，「居然突然衝出來。」

「這屋子四周都有密道跟空間，讓那些鬼怪出入。」馮千靜依然死握著拳，「我剛看到雷小璐跟何芳眞了！」

「什麼！」這句話驚動得讓三個人異口同聲。

尤其是劉品娜，她眼底燃著希望，撲上就抓住馮千靜的手，「妳可以順便問嗎？方妍華，我朋友……」

馮千靜擰著眉，全身都緊繃著。

「好了，這裡不是說話的地方。」毛穎德立刻拉開劉品娜的手，馮千靜不太對勁，「一切先出去再討論！夏天，直接去三樓嗎？」

「不行！他們說妍華在四樓的！」劉品娜第一時間拒絕，立即回身高喊，「方妍華！妳聽見了嗎？我是劉品娜！」

四樓客廳裡的半身像們緩緩看著他們，眼神裡盈滿的都是悲哀。

「這裡不要久待吧，那邊……」夏天指向了客廳的另一邊，「那幾個房間等等會突然跳出幾個速度超快的木乃伊，然後我們旁邊這些房間的最前面會跑出肌肉人！」

「肌肉人？」毛穎德聽見這名詞可熟了，「剛剛正妹說的，畸型、雕像、肌肉人、不倒翁……是我們每個人的身分吧？」

「肌肉人就你了吧！」馮千靜還有空用手背拍拍他的胸肌，「有在練，看起來比較符合。」

「唔……」夏玄允一臉無辜，「那我是哪個？」

「不重要。」毛穎德朝向客廳中心，「劉律師，我們先從這邊走。」

她回眸，既恐懼又不安，「你們有沒有想過，會不會其實這些嚇人的房間裡，才是眞的有機關的？夏天去過這些房嗎？」

夏玄允認眞的搖了搖頭，基本上在玩鬼屋時是你追我跑啊，像肌肉人衝出來的話，大家一定被追著溜，誰能再回去那間房呢！

不過，劉品娜說的還有點道理。

「大家留心，安靜太久了。」毛穎德提醒，扣掉空中不停的『請回到籠子裡』廣播，電鋸聲暫時沒有再出現。「我說一件事，追著我們的可能都是藝術品，雕像、瓷器、或是大理石都有可能。」

「服飾店裡的店員是塑膠模特兒。」夏玄允用力點頭，「毛毛一推，她的臉撞到櫃檯邊角，就整個凹進去碎了。」

劉品娜皺起眉，回頭看著樓梯上的殘骸，「眞正像道具的都是眞人，而像人的卻都是道具？」

毛穎德點了點頭，目前爲止的狀況便是如此。

他們也終於明白，爲什麼這裡會充斥著漂白水味了，爲了遮掩血腥味！

「而凡是人不是被割斷聲帶、就是拔了舌。」馮千靜越想越怒，「還眞是輕易辯別……」

她找到雷小璐她們了，但凡人類，卻都被拔掉舌頭！

毛穎德凝重的望著她緊張的下顎，突然搭上了她的肩頭，馮千靜幽幽看向他，眉頭深鎖。

「她們變成什麼了？」

「手腳都被鋸斷的……不倒翁。」馮千靜痛苦的深吸了一口氣，「胃管直接插進胃裡，正在進行強硬灌食，要讓她們肚子跟不倒翁一樣大。」

夏玄允驚訝得說不出話來，想像著馮千靜形容的畫面，她說的是兩個活潑的女孩，上星期還跟他們在速食店用餐的……學生。

砰磅！客廳另一邊的房間果然數扇門齊開，木乃伊疾速的衝跳而出，動作俐落得很，而他們手邊前方的房門也跟著大開，跳出了遊戲中應該會出現的肌肉人。

全身上下沒有皮膚，只有紅色的肌肉束，手持著尖小的刀刃，胸膛起伏劇烈，喘著氣瞪向他們。

「他在呼吸？」馮千靜詫異的說著，那是人？沒有皮膚的人？

「給我……給我藥——」肌肉人意外的開口，瘋狂的衝了過來。

嗯，正確的說，是衝向毛穎德。

「呀！」劉品娜立刻閃開，但是另一邊的木乃伊竟然轉眼近在咫尺，直接抓住了她的手，她驚慌的拿著剛撿起的豹腳，就往他們身上又戳又打，「放手！」

他們應該都是人吧？夏玄允掙扎著在腦海做選擇，肌肉人直接撲向了毛穎德所以沒他的事，他看著被拖走的劉品娜，慌亂的在腰包裡摸著東西——找到！

「放開她！」夏玄允抓住劉品娜的另一隻手，右手啪的點燃手上的打火機，「我燒你繃帶喔！燒你——」

咻！木乃伊們的手放得說有多快就有多快，他們繃帶下的血紅雙眼帶著慌亂，卻不約而同的高舉雙手，然後指向了他們的後方。

咦？拉回劉品娜的夏玄允錯愕的向右後方看去，這才發現木乃伊不是要把劉品娜拖回他們衝出的房間，而是打算拖向肌肉人跑出來的房間。

「請問是那間嗎？」他立刻收起打火機，禮貌的問。

木乃伊倉皇點頭，下一秒又抓住了劉品娜的手臂，另外幾個還繞過來拽住夏玄允，直接往那房裡拖去。

「毛毛！小靜——」夏玄允掙扎著大喊，「救我！救救我喔～唷！」

「嗄？」這聽起來怎麼像在唱歌啦！馮千靜正用棍棒狠狠往肌肉人的肚子戳去，「你們能不能自立自強啊！」

「啊！」

肌肉人一陣劇痛的彎腰，卻咬著牙揮動刀子，朝馮千靜眼前劃去；她大跳一步，卻看見了那把刀之精巧，簡直薄如蟬翼！

見馮千靜退開，肌肉人再度痛苦的抓向毛穎德；一旦發現是真人，毛穎德完全施展不開，哪有可能用電鋸劈開活人啊！

「藥！帶回去……我有藥！」肌肉人痛苦的低吼。

「住手！你們怎麼可以傷害人啊！」毛穎德決心扔下電鋸，雙手趁機扣住了對方，「我們都是被擄來的，應該……」

好滑……毛穎德根本抓不住肌肉人的手，只得到一手滑濕黏膩，這是組織液啊，失去皮膚保護的身體，不停的分泌組織液。

因爲握不住，也箝制不了，但是肌肉人卻輕鬆的反抓住毛穎德的雙手，使勁一扭轉，就讓他痛苦不堪！

「馬的你給我客氣一點！」馮千靜不知何時竟衝上階梯，直接由上而下俯衝外加一個旋轉踢，腳跟狠狠的朝肌肉人的頭頂壓下。

同時，右手握著的瓷器破片，割斷了他手部的肌肉束。

「啊啊啊——」劇痛難耐，鮮血一時噴濺出來，肌肉人慌張的掩著傷口。

馮千靜沒有遲疑，大跳下階梯，助跑又使勁將肌肉人踹倒，後頭的毛穎德早拾起電鋸，在掩護之下往前奔向剛被丟進房間的夏玄允！

「給我藥——」肌肉人歇斯底里的大喊著，「把你們帶回去我就有藥！給我藥——」

馮千靜邊跑也抄起剛扔下的手電筒，跟著毛穎德奔離，燈光照到突然出現的木乃伊讓她一陣警覺就要開打，但毛穎德回身就將她拉進了旁邊的房間裡……她完全不知所以，因爲實在太暗了，她根本沒注意到一旁就有房間！

砰！緊接著有人關上了門，肌肉人的嚎叫聲不絕於耳，聽起來相當痛苦。

「小靜借一下！」夏玄允冷不防的要抽走她手上的棍子，馮千靜根本不讓他抽，「我先把衣櫃擋住嘛！」

馮千靜不情願的鬆手，夏玄允走到角落將棍子穿過了對開衣櫃的把手，以防萬一；她拿著手電筒四處照看，這間是小臥房，看起來簡樸許多，道具也甚少，一張沒有蚊帳的床、小小的梳妝台、窄小的衣櫃，照慣例，可以看見房間另一邊的左邊角落有另一道門。

「幸好不是死胡同。」夏玄允鬆了口氣，「木乃伊很堅持的希望我們進來，這裡有什麼呢？」

他認眞的用手電筒探照每一個角落，馮千靜亦然，她謹愼的從上到下打量著，甚至遠離了床下，因爲床底下總是可以輕易藏人。

「夏天，你去把椅子拆了，拿椅腳塞住衣櫃，再把我的武器還來。」馮千靜唸著。

「拆椅子？」夏玄允一臉爲難。

反而是劉品娜筆直走了過去，沒吭半句的高舉起那陳舊的椅子，狠狠的就往地上砸——椅子四散，她俐落的在衣櫃把手中塞入椅腳，再抽回馮千靜的棍棒。

「有什麼好遲疑的啊？」馮千靜不耐煩的說。

「我怕那是眞的是古董嘛。」夏玄允還眞有理由。

「剛剛謝謝大家了。」劉品娜其實到現在都還在抖，「啊……你受傷了？」

她看向蹲在馮千靜身後的毛穎德，他胸前染了血。

「還好，那傢伙想用刀挑我的皮膚……」毛穎德正拿著面紙壓著血，「那把刀好薄，極爲鋒利……」

「他們也是被這樣挑去皮膚的嗎？」馮千靜打了個寒顫，腦海裡立刻出現皮膚挑起再撕開的畫面，「夠了，好噁爛！」

「他全身不停滲著組織液，失去皮膚的保護，又沒有繃帶，讓肌肉赤裸裸的曝露在外……他一定很痛啊，我還有看到血水！」毛穎德覺得不可思議，「這未免太殘忍了。」

「……看見雷小璐她們我就知道了，這裡便是如此，所有的畸型、鬼怪、屍體跟怪物都是人去改造的，極盡殘忍之能事。」馮千靜邊說一邊發顫，「所以帶著愉快心情進入試衣間的人，最後都變成人不像人、鬼不像鬼……」

劉品娜聞言，心只是越涼，她也已經看到了那些「人」的模樣，而妍華失蹤十年了，如果是同樣的試衣間，那她現在變成怎麼樣了？

啪啪，打火機的嚓嚓聲響起，夏玄允居然找到了蠟燭，在梳裝台上有支滴著蠟淚的短截蠟燭。

「我剛剛留意到，那個肌肉人會說話呢。」蠟燭亮起，雖然還是略顯昏暗，但至少不需要浪費手電筒的電。

只是在燭火搖曳下，每個人的影子都被拉得長長的。

馮千靜動手檢查毛穎德的傷口，傷口是不大，但是可以看出切口很銳利，那個肌肉人痛苦的喊著給我藥，如果帶毛穎德回去，就能拿到止痛藥嗎？

「我想回去救雷小璐她們。」馮千靜幽幽開口，看著大家一臉難色，「我知道有困難，但是不能把她們放在這裡。」

「我知道妳的心態，但妳告訴我該怎麼運？抱著她們嗎？」毛穎德很嚴肅的回應，「我們自身都不一定能全身而退了，就算工作人員都是雕像或瓷器好了，但也有像黑豹那種以大理石做的，沒有電鋸我們根本閃不掉……這種情況下，怎麼護住她們？」

馮千靜緊抿著唇，她心裡都明白。

夏玄允蹲了下來，突然伸出手緊握住馮千靜的手，「小靜，她們我們是帶不走的，我也不會去幫忙。」

「夏玄允？」這口吻讓馮千靜倏地抬頭。

「帶走她們的風險太大了，她們已經變成那樣，說不定還沒抱出去便受傷慘重，肌肉人隨便一刀，電鋸一劈，本來還活著的人卻反而死了。」夏玄允一點都不像是開玩笑，「現在她們已經連腳都沒有了，不該讓她們再涉險！」

馮千靜咬著唇，下唇微顫，「我跟她們說會帶妳們回去的！」

「她們怎麼說？」毛穎德沉著聲。

馮千靜搖搖頭，痛苦的閉上雙眼，「她們說……走！蔡孟宏跟李彥樺，如果他們不是不倒翁……」

「嗯。」毛穎德拍拍她，「只要行動便利、能夠自保，當然就帶他們走。」

此時，一旁的劉品娜做了一個深呼吸，緊扣著自己的背帶，發出鏗鏘聲；一路上奔跑大家都聽得見，她的背包裡很熱鬧。

「喂，你們繼續往下走吧，我得去找妍華。」

「劉律師，妳一個人不行啦！」夏玄允立刻看向她，「剛剛只是木乃伊妳就無反抗之力了！」

「不管行不行我都要找！」劉品娜堅持了十年，不可能在這時放棄，「那邊還有一道門對吧，反正我不會離開四樓，出去後我們各走各的。」

毛穎德默默頷首，她若要堅持，他們也沒有阻止的資格。

「這裡好靜……」毛穎德狐疑的皺眉，「怎麼沒有什麼東西溜出來呢？」

「木乃伊堅持要我們進來，這裡應該有什麼吧？」夏玄允認眞的想著，「還是那扇門通往什麼地方？」

人類都會幫助人類，即使已經殘缺不全，他們還是會伸出援手，肌肉人不是有幻覺就是被藥所控制，誰也無能爲力。

馮千靜想起第一次進試衣間時，有人刻意扔出了水鑽髮夾，或許也是這個用意，不管是誘餌還是幫忙，她都感謝。

大家站起身，小心的要越過房間，往左邊角落的門走去，夏玄允不停的思考打量，不想錯過任何蛛絲馬跡，人若是會幫人，木乃伊推他們進來一定有理由的。

越過房間，往房底左邊角落走去，每個人的影子都因爲梳妝台上的蠟燭變得又長又大，幾乎遮去了右邊範圍所有的光線。

嘎吱……嘎吱嘎吱……奇異的聲響自右邊陰暗處傳來，這聲音彷彿是鄉下阿嬤家古老的藤椅，坐下去、移動時都會發出的親切聲音。

當然，在此時此刻跟溫馨就扯不上關係了。

所有人緩緩的往身後望去，聲音是從右邊角落傳來的，因爲簾子遮去了視線，不管是誰剛剛都沒留意到簾後的櫃子旁還有東西。

防禦姿勢備妥，夏玄允將手電筒移了過去，照他個措手不及——哇！

發出聲音的是座搖椅，的確是藤編搖椅，椅子自坐墊以下還用深紅布包裹住整個椅腳基座，椅子上放了一個大玻璃甕，甕裡擺放著的是巫毒電影裡才看得見的風乾人頭！

乾癟的人頭，凸出但闔上的雙眼，緊閉著的唇上縫著××的線，亂髮上還繫著珠子與貝類，頸子上也戴著民俗項鍊……如果是風乾人頭，那麼搖椅是誰在晃的啊？

「那人頭也太可怕了吧！」夏玄允這麼說，卻往前移動幾步，「是人頭在搖嗎？」

「只要在這房間的人聽見聲音，一走過來都會嚇到魂飛魄散吧！」劉品娜揪著衣服，看著那不止的搖椅，仍舊嘎吱嘎吱，玻璃甕也跟著搖晃，讓人捏一把冷汗，深怕甕會因此翻滾下來。

只不過，大家都多慮了。

當玻璃甕裡的人頭開始轉動時，五個人狠抽口氣的聲音超大聲，還同時向後退了一大步！

風乾人頭眞的動了，從原本看向櫃子的角度，慢慢的向左轉，轉到他們的位

子時，瞬間跳開眼皮！

「哇！」夏玄允立刻躲到毛穎德身後去，「風乾的頭會會動耶！」

其他人根本是不知道該躲去哪兒，他們身後就是本來要出去的門了，哪有這麼多位子啦！而且……馮千靜想著，人頭總不會整顆飛撲過來吧？

人頭瞪大雙眼瞅著他們，搖椅開始越搖越厲害，嘎吱嘎吱！

「走……走！」毛穎德邊說邊回頭，「那個應該沒有什麼影響力……」

由於燈光全數照向人頭，所以當毛穎德回首時，才得以看見門縫底下的影子——有人在外面！

就知道，沒有那麼容易吧，想逮獵物回籠子的獵人們，豈會給他們這麼大的喘息空間！

夏玄允本要開門，毛穎德立刻攔住他，搖搖頭，用嘴型說著外面有人。

「有人!?」馮千靜也輕聲說著，立刻拉著劉品娜退後，「那為什麼不進來？」

是啊，為什麼不堂而皇之的進來？還是刻意在門外埋伏，誰第一個出去誰就出事？

大家大退一步，夏玄允瞇起眼彎著身湊近門把，才伸手想摸，立刻被毛穎德狠狠打下。

「你幹嘛？」

「門把……」他用力指著門把，「這不是喇叭鎖！」

咦？毛穎德立刻定神一瞧，這的確不是喇叭鎖，非但不是，門把上還有著鑰匙孔——他們這面是門外嗎？需要鑰匙才打得開？

賭它一把！毛穎德撥動著手要大家退後，手擱在門把上，只要試著轉一點點——喀！

「鎖著！」馮千靜怒火中燒，「這樣不是又得循原路出去了？那群木乃伊到底想幹嘛？」

「小靜，深呼吸，來~跟著我做，一二三四、二二……」夏玄允還有空示範靜心體操，立刻招來一記狠瞪，「哎唷，這是鬼屋也是解謎啊，找鑰匙啊！類似關卡我跟洋洋之前也遇過類似的，也是在四樓，另外一邊。」

「找鑰匙？」她哪知道，她走的是捷徑。

「嗯，上次我們在一堆大腸裡找到的。」夏玄允還一臉揚揚得意，「大家分開找，一定在房間裡！」

唉，馮千靜心生厭煩，細心的工作她又不擅長！大家各自分開找尋，這房間東西並不多，應該不難找，但是那搖椅的嘎吱音聽得令人厭煩，吵死了。

「欸……」劉品娜站在被椅腳卡住的衣櫃前，「該不會就剛好在這裡面吧？」

她嚥了口口水，看著對開的衣櫃門，心生恐懼。

「我還在想會不會在床底下咧。」夏玄允認眞的盯著床，床單罩著的床底下，天曉得有什麼！

「先找床底下吧，兩人照明兩人應付。」馮千靜不喜歡拖泥帶水，「劉品娜！妳幫我拿手電筒，我負責有什麼出來揍什麼！」

「好！」劉品娜即刻回首，就要過去。

此時，搖椅突然搖得又急又猛，裡面那顆人頭竟然開始以頭撞玻璃甕——咚！咚咚咚！

什麼？最靠近他的夏玄允戰戰兢兢拉開簾子，那人頭眞的猛烈的撞擊玻璃，頭髮在狹窄的甕裡亂飛，貝殼跟飾品鏗鏗鏘鏘……銀色的鑰匙就繫在他的頭髮上，敲擊著玻璃甕！

「鑰匙！」夏玄允吃驚的伸手一指，「在這裡！」

咦？毛穎德立刻回首看去，「在頭髮上！」

在人頭的頭髮上！換言之，他們必須打開玻璃甕……或敲破它，然後取下鑰匙！劉品娜撫著胸口，這不是很難的工作，但誰知道那顆人頭會做些什麼？

四個人很快的聚在搖椅邊，找不到玻璃甕有任何蓋子或開關，甕也不是擺在搖椅上，而是跟搖椅坐墊嵌合著，或者說這玻璃甕長到搖椅下方較爲合理，這就是爲什麼搖椅下方頭要用布全面遮住的主因。

「敲破好了。」馮千靜掄起棍棒，「我從後面敲，不至於傷到他正面。」

「這樣好殘忍耶！還是會受傷啊！」夏玄允立刻阻止，「我們可以把下頭封起來的布拆掉取出玻璃甕嗎？」

沒人抗議，大家各自從背包拿出刀子或剪刀，迅速的剪著布，這一次劉品娜終於幫得上忙，刀子這種防身器具她還是有準備的。

四個人剪開布只花了幾秒，果然看見玻璃甕是整個立在地上的。

夏玄允立刻趴在地上確認，只是手電筒這麼一照卻讓他傻了……玻璃罩是鑲在地面以下的，圓筒狀的長玻璃管裡塞了一個人，他們可以看見他的身體嚴重扭曲變形。

「……果然是活人嗎！」劉品娜打顫著雙唇，不可思議的看著這「風乾人頭」。

「讓開。」馮千靜突然一回身，二話不說就朝著玻璃甕上方打了下去，沒有人來得及阻止。

不過她已經在棍子上裹了旁邊扯下的布簾，這麼一敲只是敲裂了玻璃甕，並沒有讓碎片四散；毛穎德飛快的用刀柄小心翼翼的自裂口敲下玻璃碎片；夏玄允抓起被單，將玻璃碎片用扳的盡數剝下。

如此一來，人頭露出，卻又不會傷害他。

清除椅子上的玻璃後，夏玄允第一件事是拆解鑰匙，毛穎德則是伸手探向人頭脈搏——「雖然很虛弱，確定是活人。」

人頭用力閉眼，代表肯定。

「這怎麼……太過分了！活生生的人怎麼能做成這樣？」劉品娜忍不住掩嘴，乾瘦成這樣，嘴巴還被縫起。

「這跟骨女不同，骨女很明顯的是餓出來的，可是這個還有一種風乾木乃伊的感覺……」馮千靜只是滿腹怒火而已，「全身都被做成這副模樣……你每天都關在這裡嗎？」

人頭又眨了一下眼。

「鑰匙拿到了。」夏玄允終於解開鑰匙，緊握在手裡。

事不宜遲，他們得立刻離開！

「很抱歉不能幫上你什麼忙。」馮千靜語帶遺憾的說著，一骨碌站起。

「嗯——嗯嗯！」人頭突然激動的又開始搖頭晃腦，發出低沉的聲音，「嗚……」

眾人莫不狐疑的看向他，不明白他在說什麼，只能從他的視線去探索，他筆直的看向前方……不，是看著劉品娜。

劉品娜第一時間回頭，她背後沒什麼啊，「怎麼……這樣看我很嚇人耶！」人頭不語，卻突然潸然淚下，他仰望著劉品娜，被縫起的嘴都在打顫……面對他的淚水，大家只是手足無措，緊接著他痛苦的閉眼，開始痛哭失聲。

「不會吧……」夏玄允忽然察看身子，緩緩蹲下來，「妳是女的？」

人頭點點頭。

「妳該不會認識方妍華吧？」餘音未落，人頭倏地睜開雙眼，淚眼汪汪的看向夏玄允。

眼底是痛苦、是悲涼，還有一種光芒。

劉品娜呆站在原地，不可能不可能不可能……她忍不住雙腳發軟，上前突然搶過夏玄允的手電筒，二話不說照向人頭，撥開那長髮，映照頸項那即使乾縮還是瞧得見的花形痔！

「妍華？」劉品娜失聲逸出這名字。

「唔唔！」人頭淚如雨下，緊皺著眉凝視著劉品娜，發出類似小娜的音調。

房內一片死寂，毛穎德悄然起身，一口氣幾乎上不來，看著緊綳身子雙手握拳、一副怒不可遏的馮千靜，只得趕緊上前摟過她，拜託她放鬆點，現在盛怒是沒有好處的。

劉品娜找了十年的同學，終於找到了！

她大膽的捧起那人頭，仔細端詳，歷經如此磨難的十年，即使她們同歲，但方妍華看起來就像個老婆婆，身子乾癟扭曲，人變得畸型，仔細看可以觀察到手臂上的針孔，或許藉由某些營養素還活著，也或許被施打了什麼東西，才把一個人扭曲成這樣。

但是五官是她認識的那個方妍華！

劉品娜忍不住的痛哭失聲，緊緊抱著那風乾人頭嚎啕大哭。

只可惜，都市傳說不會給他們太多悲傷的時間，衣櫃門陡然一震，有東西自裡頭撞出，只因爲他們剛剛卡著椅腳，所以一時撞不出來。

砰磅！砰──但是這撞擊，卻讓大家嚇了一跳。

毛穎德趕緊拾撿起剩下破碎的椅子，能塞進多少算多少，「衣櫃不可能抵抗太久的，他們等不及了。」

『請回到籠子裡！』的廣播聲同時變大了。

「劉品娜！我知道現在催妳走很過分，但是我們真的得走了！」夏玄允趕緊溜回劉品娜身邊，「我們帶不走她的，妳應該知道。」

劉品娜緊咬著唇，唇上都痛苦的咬出血珠，她抬首與方妍華互望，凝視著她，方妍華表情卻比她平靜許多。

「該走了。」毛穎德拎起電鋸，有這玩意兒的他得打前鋒，「妳會掩護我吧？」

「門口這麼小怎麼掩護！你自己小心，誰也不知道外面有什麼。」馮千靜一邊說，一邊抵著衣櫃門，「夏天，你跟劉品娜在我跟毛穎德中間。」

夏玄允一把拉起劉品娜，「不能再待了！」

「不──」劉品娜一把甩開夏玄允，「你們先走吧！我自己走！」

「可是……」

砰砰砰！衣櫃門眼看著就快開了，對開門都出現一個縫，毛穎德凝視著那個縫，突然心生一計，使勁拉繩啓動電鋸；馮千靜亮了雙眸，鬆開抵著門的動作，期待著門板再次被撞擊──一、二、三！

對開門出現了十公分的隙縫，毛穎德擎著電鋸直接往裡頭劈砍進去。

咚咚咚……物品落地聲清晰，但聽起來本來要衝出來的似乎不是瓷器娃娃。

「我好不容易才找到妳，十年了，妳連一句話都說不了嗎？」劉品娜再度蹲了下來。

「要不然妳就在這裡陪她說一輩子吧。」毛穎德看向夏玄允，「我們走。」

人頭望著劉品娜，緩緩的闔上雙眼再打開。

夏玄允不安的回頭看著劉品娜，眞的要把她扔在這裡嗎？她一個人能逃出去的機會有多少呢？

望著劉品娜的背影，卻也瞧見了她右手緊緊握著的刀子。

「住……住手！」夏玄允驚恐的大喊，讓正在開鎖的馮千靜顫動了手，鑰匙差點滑落地。

劉品娜緊緊抱著那人頭，卻用剛剛割開布的匕首，插進了方妍華的頸子裡。

「妳說過，小娜最瞭解妳的對吧？」劉品娜痛苦的深吸了一口氣。

人頭掙扎微弱，雙眼卻瞇出微笑，狹窄的玻璃甕沒有給她太多空間掙動，沒有幾秒便斷了氣……馮千靜瞠目結舌的看著滿地的鮮血，不可思議的看著抽出刀子的劉品娜。

她將人頭鬆開，好好的擺放，讓她躺在搖椅上。

「這才是救她的方法，我不會讓我朋友用這個方式再活十秒。」她咬著牙說著，打開背包拿出了一個小玻璃罐，「抱歉讓大家久等了，我們走吧。」

她轉過身，衣服上鮮血淋漓，滿臉是淚痕，但是她的雙眼卻如同第一次見面一般，熠熠有光。

沒有人能說出什麼安慰話語，連口才甚佳的夏玄允都不知道該說什麼，此時再多的任何言語都顯得多餘，她們的悲傷只有她們理解。

尋覓十年，終於尋得了朋友，也終結了朋友的痛苦。

馮千靜內心激動不已，她突然覺得，如果是劉品娜遇上雷小璐，說不定也會用一樣的方法拯救她們。

對她們而言，在試衣間消失的那刻開始，就是生不如死的地獄啊！

她是不是……也應該冷靜的思考，用雷小璐她們的角度去思考，如果她是被砍斷手腳的人呢？

喉頭一緊，平復著鼻酸，馮千靜將鑰匙插入鑰匙孔。

喀噠——毛穎德拉開電鋸，接著一腳踹開了門板，門甫打開，就是一個拿著刀子的肌肉人站在門口。

是人——毛穎德立刻遲疑了！

嘩！自毛穎德右後方突然潑出了東西，直接噴灑在肌肉人身上，原本要攻擊的肌肉人瞬間收手，痛苦的淒厲慘叫。

液體味道刺鼻，毛穎德忍不住瞪圓雙眼：汽油？

來不及問那是什麼，旁邊早有工作人員等待，或拿電鋸或拿網子，要將他們拖回籠子裡。

毛穎德一馬當先衝了出去，夏玄允伏著身子也溜出，原本要墊後的馮千靜卻被劉品娜一把推向前。

劉品娜回首看了在搖椅上的人頭，淚水滑下臉龐。

舉起手上的玻璃瓶，狠狠往梳妝鏡扔了出去——玻璃瓶撞擊鏡面而碎裂，液體潑灑而出，一遇上蠟燭，即刻成了火球。

「妍華，再見。」

劉品娜反手拉上了門，再見。

劉品娜那個背包裡沉甸甸的玻璃瓶們，那看起來普通的噴霧罐裡，居然全部都是汽油！

她根本早就做好準備，而且是相當可怕的準備。

失去皮膚保護的肌肉人根本耐不住汽油的刺激，痛得在地上打滾，四處撞牆的淒厲慘叫，三個男孩工作人員，分別是兩個瓷器及一個石膏像，最終都分屍落在地上，即使無法行動，但能說話的依然沒有停止言語：「請回到籠子裡……一定要回到籠子裡。」

他們從方妍華所在的房裡離開後，是四樓的另一個區域，熟門熟路的夏玄允原本想帶大家從捷徑到三樓去，但是那邊出現了不成比例的巨人，還有殭屍擋住他們的去向。

殭屍動作慢到一點誠意都沒有，擺明就是在放水，但是毛穎德主張也可能是陷阱，所以他們還是決定聽夏玄允的建議，前往更短的捷徑——挑高中庭。

三樓有個小小花園屬挑高中庭，那兒有座人造的六角型噴泉花園，中間立了個雕像，小噴泉湧著，水聲嘩啦嘩啦不絕於耳；夏玄允帶著他們來到噴泉花園的上方，這是最快的路。

「跳下去？」毛穎德不可思議的高喊，「這叫最快的路？」

「跳下去還不快嗎！」夏玄允一臉理所當然，「這邊跳下去就三樓了，樓下還沒人！」

「不是……」毛穎德扳著雕花欄杆往下探，「現在的確沒人，問題是這麼高跳下去？」

「不跳巨人就來了啊！」夏玄允急忙的說，「不覺得他跟其他人不一樣嗎！力量大又手長腳長的，手拿著繩子跟網子，就是要把我們帶回去！」

「夏天說得沒錯，巨人的敵意很明顯……搞不好一開始就不是人。」馮千靜側量著高度，「其實這高度還好，就是跳的時候小心，力量過猛會摔進池子裡，那可不是骨折就是穿刺傷囉！」

又是石子又是水管的，真掉進去鐵定掛彩。

「我先跳吧，我最柔軟！」馮千靜一翻身就到了欄杆另一邊，只有腳跟踩著凸出的小小水泥塊，「毛穎德你第二個，再來是劉品娜跟夏天。」

沒等大家阻止，馮千靜鬆手就跳下……完美落地，那柔軟度跟彈性，真不愧是職業格鬥者。

「劉品娜，妳……」毛穎德轉身要找劉品娜，卻看見她朝各角落扔著瓶子，「喂！妳在幹嘛!?」

劉品娜不語，再打開一小瓶的汽油，直接往下方的噴泉倒進去。

「走了啦！」夏玄允連忙催促著，毛穎德只得趕緊翻過欄杆……如果沒有一條長軟的舌舔過他的臉……「哇啊——」

他嚇得手滑，差點摔下去，天花板冒出了條長舌，依然神龍見首不見尾，只有那三十公分的舌頭到處亂晃！同時，夏玄允他們身後的門突然開啓，一條繩子俐落的由後圈住墊後的劉品娜，整個人被往後拖去。

「哇啊！」夏玄允及時拉住她的外套，力道卻輸給男孩，只得重新再抓一次，這次改抓住束縛著劉品娜的繩子！

「喂！樓上在幹嘛!?」馮千靜在樓下大喊，「毛穎德！對那條舌頭不要客氣！」

「這不是客氣不客氣的問題吧！」這是噁心！無與倫比的噁心啊！長舌捲住他的手，毛穎德甩開它又來，那舌的力道比他想像的大，簡直可以當作繩索的一種。

而巨大腳步聲由遠而近，自左邊遠遠奔來的巨人，竟未曾稍作停留，直接跳過欄杆，往下方躍下了——馮千靜瞪圓了雙眼，及時閃避，竟差一點就被踩住！

尤其她還不知道這巨人是人還是什麼變的，萬一也是大理石她不就死定了？

巨人一腳踩爛了噴泉的邊圍，不停湧出的水立刻流了一地，馮千靜認得這裡，她每次走的捷徑在隔壁條走廊，前提是噴泉這端是死路，而巨人擋住了唯一

的出路。

「我沒興趣回到籠子裡！」她咆哮著，「我是進來找人的，找被你們擄走的同學——蔡孟宏跟李彥樺在哪裡？」

巨人張開網子，那長達一百五十公分的腳看起來實在驚人，一步就可以踢過來，長長的手臂隨便一扔幾乎就能用網子罩住她。

她閃躲到上氣不接下氣，人家根本只是動了兩下而已。

不過大塊頭有大塊頭的不便……例如：視線死角可不少！抓住一個空隙，馮千靜從旁邊閃躲，順便給了一棍，想測試這傢伙到底是什麼東西！

這一敲，彈性的肌肉給了她答案，巨人不痛不癢的回頭，伸長手就要抓住她。

「你是人!?喂！太誇張了，你也被抓進來，不想離開嗎？」馮千靜閃到另一邊，這眞的是人的話，身體怎麼接的啊？

巨人用著相同悲哀的雙眼，望著她彷彿還在流淚，但是卻沒有停下捕捉的動作。

樓上的夏玄允死活不讓男孩拖走劉品娜，劉品娜也拼命抵抗，她與夏玄允面對面，然後突然很有默契的開始同步：夏玄允拉著綁住她的繩子當方向盤，將劉品娜左搖右晃的，而劉品娜跟著使勁往後擠，簡直像壓著那男孩往牆上去。

希望這位是瓷器！希望是瓷器——登！男孩撞到了牆，保持著原有的微笑，「請回到籠子裡。」

啊啊，是石膏像啦！

男孩突然伸腳，狠狠的踹開了夏玄允，在僅有兩人寬的走廊上，夏玄允撞到了雕花欄杆，差一點點就後滾翻下樓了！

「欸欸欸……」他趕緊抱住欄杆，幸好他的手電筒有繫帶，始終繫在手腕上，要不然手電筒也一起掉下去就……嗯？手電筒？

「放手！呀——」劉品娜完全無法使勁，雙臂被繩子圈住，就算想拿刀子也無能爲力。

她只能強硬蹲下身子，不讓自己被拖走，可是那個男孩力氣好大，她蹲著也一樣被拖往男孩衝出的房間！

「喂！放開那女孩！」夏玄允筆直衝向男孩，男孩立刻抓著劉品娜的繩子，使勁以離心力一拋，將她直直拋進了那房間裡，右手同時伸直，打算抓住夏玄允！

同時間，夏玄允手上的手電筒也以離心力，準確的拋向男孩的頭顱……就算是石膏，這麼沉重的手電筒加上離心力，就不信他能夠毫髮無傷！

男孩的右手撲了空，因爲夏玄允俐落的將他的手往外撥開，還不忘扭身旋轉九十度順道撞開他，再拉住劉品娜的繩子尾端！

開什麼玩笑！以爲他每天被馮千靜摔假的嗎？不管是扭、打、撥、摔、撞，被打久了也會學個一兩招吧～

男孩頭顱應聲而碎，一個角落被敲開，而夏玄允拉出劉品娜往後，順道再把擋路的男孩推下三樓。

「妳自己來，我去幫毛毛！」夏玄允確認了劉品娜無礙，立刻衝上去要協助毛穎德，看著長舌纏住他的手，夏玄允一陣心慌，趕緊摸出剪刀。

「毛毛，你不要動……我、我來把舌頭剪掉！」他喊著，一邊試著要爬上欄杆。

「剪……」天哪！光想像就覺得噁心，「你剪得下去嗎……快點——等等，你手上拿著什麼？」

夏玄允手握著把生鏽的塑膠剪刀，還是兒童使用的安全剪刀，卻一臉很認眞的模樣！他是在開玩笑嗎？那種剪刀能剪開舌頭？他應該有更利的東西吧！

「你放心好了！這是裂嘴女的剪刀！」他還一臉正經八百，「都市傳說剋都市傳說，沒問題的！」

裂嘴女的……「沒問題你的鬼啦！你去哪裡拿裂嘴女的剪刀？天哪！那該不會是剪過誰嘴巴的吧？給我拿走！夏玄允！」

夏玄允一臉無辜，裂嘴女連人嘴都能剪開了，這把剪刀應該沒問題啊……還沒開口，身後傳來大吼聲。

「讓開！」

一割斷繩子，劉品娜立即往前奔拾起落地的噴霧罐，直抵毛穎德身邊，推開擋路礙事的夏玄允，毛穎德此時兩隻手正被長舌往上提拉，若不是他正跨坐欄杆，兩個腳踝死命交叉緊纏，只怕早就被帶上去了。

劉品娜朝著舌頭一陣亂噴，再摸著口袋，「忍著點！」

「忍？忍什——」話沒說完，用力到面紅耳赤的毛穎德就看見劉品娜手上的打火機了！「妳冷靜一點，妳剛剛也有噴到我的手，劉品娜，我說——」

轟！

她根本沒在聽，直接往舌頭上點火，火舌一竄，舌頭是鬆開了，但毛穎德的手也燒起來了啦！

但她速度也快，立刻張開自己的外套包住他的手，在最快的時間內滅火……

上頭的傢伙就沒這麼容易了，天花板裡竄出了橘色的火光，還有碰撞與啊呀呀的叫聲。

「妳想把這裡燒了嗎？」毛穎德定神後，看向劉品娜。

「這裡不該存在。」她幽幽的說著，樓下卻傳來驚人的碰撞聲。

啊！馮千靜！樓上三個一驚，大家居然忘了她！

馮千靜退無可退，躲無可躲，她現在繞到了水池的另一邊，這邊一大面白牆已無後路的與巨人對峙，看上去氣喘吁吁，光是閃躲就耗盡了她的體力。

越過在水池中間高台上的雕像看向巨人，巨人啜泣上前，進一步減少馮千靜能閃的空間，她身後只剩一整面牆，左右兩邊都是走廊，但那樣的距離，只怕巨人隨便一轉身就能攫住她。

「上面的！」她扯開了嗓子，「活著的話幫忙啊！」

「格鬥不是一對一？」夏玄允還有時間開玩笑。

「夏——玄——允——」平安出去後一定折到你求饒！

巨人因此抬頭看向了他，眼珠子一個個看著，彷彿在計算人數似的，馮千靜見狀，趁其不備，立刻朝右邊的走廊意圖鑽過去……可說時遲那時快，巨人一正首，向左一閃立刻堵住了走廊！

然後，噴泉上頭的雕像竟然掉下來了！

不，他是跳下來的，不偏不倚的壓上巨人的身體，直接把他往後推倒，毛穎德見狀立刻往右邊繞過去，位子選擇在巨人的頭部上方，不假思索的翻身躍下，順道用電鋸機身給了巨人頭頂一記。

巨人不知是暈了還是死了，總之身體癱軟，但雙眼依然是大開，毛穎德機警的後退，防備著壓在巨人胸前的雕像。

馮千靜趁機拾起剛飛出去的棍棒及手電筒，也小心翼翼的繞過巨人身體，來到毛穎德身邊；樓上的夏玄允可慌了，可以接住他們的人都閃出了中庭之內，他們怎麼敢跳啊！

雕像遲緩的抬首，彷彿做這個動作就費去他所有氣力，像機器人般卡卡的動作，馮千靜持著手電筒朝他的雙眼照去，雕像皺起眉，下意識閉上了眼。

「蔡孟宏？」馮千靜一驚，那張臉！

「唔……」雕像遲緩的想點頭。

「天哪！蔡孟宏……」馮千靜立刻往前踩過巨人的手來到他身邊，毛穎德則暫時環顧四周，確定目前安全，開始吆喝樓上的跳下來。

叫他們全繞到這頭來，跳到巨人身上安全些。

馮千靜把蔡孟宏推向後，他實在很沉又全身僵硬，即使摸起來皮膚是柔軟的，但是動作卻如同雕像一般，全身均被塗白，舌頭也早被拔除。

「你也已經變成這樣了……」馮千靜再難壓抑滿腔怒火，「馬的這裡到底是怎樣!!」

蔡孟宏無法說些什麼，只能低泣。

一旁哎唷的聲音此起彼落，兩個人都跳了下來，唯劉品娜腳些許挫傷，但不影響行動。

「能走吧?」毛穎德立刻回身，「我們現在要用最快的速度離開。」

「這邊離出口就近了!」夏玄允前一秒還笑著說，後一秒卻又斂起笑容，「可是，我不知道哪條才是出口。」

「這樣吧，蔡孟宏你既然能幫馮千靜，就表示你還能動，我扶著你。」毛穎德盤算著，「我們不能久待了，四樓已經開始燃燒，天花板也是，如果我是都市傳說，我應該會火冒三丈。」

蔡孟宏望著他們，淚如雨下，卻只能極爲遲緩的搖著頭。

「搖什麼頭啊!你應該看看雷小璐跟何芳貞，她們連手腳都被砍斷了!」馮千靜氣急敗壞的怒罵，「你還有手有腳，至少還可以——」

「他不能動了。」

冷不防的，在眾人背後的黑暗間，傳來了哽咽的聲音。

一時間，所有人把武器拿起，毛穎德起身拿電鋸擋在前面。

「他會慢慢變成雕像的，跟店裡那些模特兒一樣，移動頭部就得花上好幾個小時，全身僵硬。」光線裡走來一跛一跛的人，「我們已經是傳說裡的一部分了。」

來人是赤裸著的，唯左半邊自頸子到腳板都沒有皮膚覆蓋、肌肉外露，但是臉部及右半身的皮膚依然安好，所以還是他們認識的模樣。

「李彥樺……」那染著綠色的頭髮再顯眼不過了。

「好痛……我好痛啊……」他說著，痛苦的跪地，「在這裡真的生不如死……我明明在宿舍換衣服的！」

肌肉人，唯一能說話的份子。

「你怎麼……你正在被處理嗎？」毛穎德趕緊上前，攙住他的右手臂。

「我聽見有人在喊素材跑了，正在撕我皮膚的人也被叫走，我只要跟著被指派的人們走，就可以找到你們。」李彥樺的臉色相當慘白，被撕去皮膚的地方尚在流血，「我想著有沒有可能是你們，還真的是……快走，失火的事他們很生氣，已經喚醒了更多管理員了。」

馮千靜站起身，幽幽望著蔡孟宏，痛苦的別過頭，「李彥樺總能跟我們一起走了吧？」

「對！李彥樺，你能動對吧？」夏玄允也激動上前，「我們至少能帶你出去！眞慶幸你還能說話！」

「肌肉人都能說話，因爲我們很痛，願意去做任何事換取止痛藥……」李彥樺難受的越過他們，看向正前方的蔡孟宏，「蔡孟宏……」

蔡孟宏連微笑都勉強，卻努力的抬了下巴，往他的右方去。

「他叫我們走……」李彥樺深吸了一口氣，強忍著痛楚，「這裡是地獄……我當然巴不得離開！」

「我們就是想來看看這到底什麼地方，而且我本來想帶大家離開的。」馮千靜被巨大的絕望打擊著，「可是卻都……」

「走了！」夏玄允忍不住催促，不是說有大軍嗎！

所有人立刻行動，馮千靜還不忍的回頭倒退著走路，手電筒照著蔡孟宏，他早就試著抬起手，對著他們揮手道別。

再見，再見，在進入試衣間的那一刻起，其實就是永別了吧！

「你知道怎麼出去嗎？」夏玄允急忙的問李彥樺，「我們不可能回到籠子那邊吧？試衣間在很高的地方，而且我覺得是空間連結。」

「我看很多人都從書房那個地方離開。」李彥樺認眞的說著，「那裡是有條出口連結到賣票櫃檯旁邊的入口！」

大家急著往前走，劉品娜卻突然啊了一聲止步，二話不說就往回跑。

「喂！劉品娜！」馮千靜沒抓住她，這女人在幹嘛!?

馮千靜立即追去，毛穎德要其他人待在這裡不動，如此黑暗，不能自亂陣腳；劉品娜一路奔回剛剛的地方，從背包前袋裡抓出了一盒東西。

「對不起，我是爲了你好，也是爲了大家。」推開盒子，小棒子在盒上嚓一聲冒出火光，然後她就鬆開手了。

「劉品娜！妳做什麼!?」馮千靜驚恐的大喊著，劉品娜卻即刻向左回身朝馮千靜跑來，一邊推開她。

火柴落上了地，而地上滿滿的都是剛剛噴泉湧出的水，但油比水輕，適才她將整灌油倒進了水池裡，因此隨著水的漫延，油就到了哪裡，星火燎原不過彈指之間而已！

蔡孟宏的動作根本逃不了也躲不了，巨人的身子基本上浸泡在水裡，火舌迅速的竄燒，一眨眼就包住了那中庭花園。

「劉品娜！」馮千靜不可思議的尖叫著。

「這對他們最好！妳眞的希望妳同學一輩子這樣子過活嗎？這是妳想要的？」她推著馮千靜邊跑邊回吼，「我要毀掉這裡，毀掉服飾店，讓試衣間再也不存在！」

毀掉都市傳說！夏玄允訝然，從來沒有想過，有人會想試著毀掉都市傳說。

火光照亮了四周，但他們腳上剛剛也踩過水，一路都是痕跡，火一路跟著他們的足印燒過來，他們無法停留的只能往前衝，李彥樺一拐一拐的帶著路，馮千靜一邊奔跑一邊留意四周。

一股微弱的聲音，卻傳進了她耳裡。

戛然止步，她豎耳傾聽……如此細微，但是她卻聽見了什麼……

「咦？」原本並肩跑的劉品娜留意到身邊的人不見了，「等等，馮千靜！妳在幹嘛？」

馮千靜停在她每次走的那長廊入口。

大家依序停下，喊著她的名字，馮千靜高舉起手，「閉嘴！不要吵！」

她邊說，竟一邊往長廊去，從遲疑到加快腳步，然後倏地向左望，「有人在叫我！從這邊走，快點！」

「馮千靜！冷靜點，那說不定是陷阱！」毛穎德立刻狂奔而來，「妳別忘了我們認識的都不能言語了，這裡的人都無法說話的！」

「不，有一個會。」她看著毛穎德，雙眼熠熠有光，「那個人在用法文說：這裡才是出口。」

咦？除了肌肉人外，唯有一個雕像，是這間鬼屋中能開口的——誘餌。

第十一章 了結

慌亂的人們奔跑著，到了馮千靜慣走的長廊，這次沒人有空等其他房間的嚇人鬼怪奔出，馮千靜立刻打開右手邊第一道門，轉身就進入，而後方遠處傳來驚人紛沓聲與慌亂聲，似乎遠處樓梯上有不少人走動，而上方的慌亂可以知道是火災的緣故。

「這間房沒什麼，因爲捷徑，所以唯一嚇人的就是床上的骨女，會突然跳舞嚇人。」話是這麼說，但大家還是卡在門口，先用手電筒照清楚這寬大的房間。

手邊左方就是衣櫃，她指了指，夏玄允立刻起身要去找椅子。

「衣櫃裡有密室，我之前觀察過，以防萬一還是擋擋。」馮千靜筆直往前走，燈光照在床上那看似奄奄一息的骨女，所有人都皺著眉看向她，那眞的是瘦骨嶙峋的代表。

「這是被餓出來的吧？」毛穎德覺得同情，「根本就是厭食症患者的模樣，只是她應該不是自願的。」

「厭食症最後不是都會……」劉品娜語帶保留，是的，因爲營養不良，厭食症患者如未治癒，壽命都不會太長。

而眼前躺在床上的這個骨女，連睜眼看他們的模樣都是有氣無力的，行動上都得靠著緞帶拉扯，像傀儡一樣任人操控……不，事實上這裡所有的人都只是傀傴吧！

「要素材多得是吧！一天只要一個人進入試衣間就夠了。」夏玄允站在床邊望著她，「這個餓死了，後面說不定還有一大票。」

骨女望向夏玄允，竟點了點頭，滑下兩行淚水。

嗚，夏玄允心生不忍，他把背包甩向前面，從前袋拿出了巧克力夾心酥就湊上前。

「等等，她久未進食，給她吃這種東西會消化不良的。」毛穎德連忙阻止。

「都快沒命了，誰管她消化好不好！」劉品娜邊說，旋過腳跟，手裡拿著汽油竟又到處潑灑，甚至潑上床。

「劉品娜！」馮千靜激動的繞過來，動手拉住她的手，「妳是想活活燒死她嗎？」

「我說過我要毀掉這一切的，說不定她不介意被燒死。」劉品娜轉頭看向骨女，「這就讓妳解脫，如何？」

骨女竟倏地雙眼發光，拼命的往前直起身子，雙眼噙淚卻感動的模樣讓馮千靜內心掙扎，她知道這些人在這裡生不如死，可是劉品娜這樣子像在殺人啊！

而且活活燒死……她心裡就是過不去。

夏玄允撕開巧克力捲，那是幼兒可食用的餅乾，相當的軟，內餡的巧克力極香醇，骨女激動渴望著那巧克力捲塞進她口中，顫抖著唇好不容易咬住，緩緩的開始咀嚼。

每咀嚼一口，淚便如雨下，痛哭失聲。

而一旁的小門外，傳來了嘶叫聲。

「咦？」毛穎德立刻看向斜前方的角落，「真的有人在喊！」

馮千靜望著劉品娜手上的瓶子，咬著牙也只能鬆手，扭身往角落的小門去，「我就說了，我聽見他在大吼大叫。」

夏玄允趕緊把幾條巧克力捲都塞到骨女嘴裡，讓她用唇咬著，可以一根一根慢慢吃；劉品娜在她床上澆淋了不少汽油，最後將瓶子往角落擊破。

骨女望著她，狼吞虎嚥的吃著久違的零食，泛出淡淡的笑容。

夏玄允在門邊等她，劉品娜刻意撕下一條蕾絲窗簾，將布擱在地上當引信，點燃了布，燒到後段時就會觸及滿是汽油的地板……至少，讓骨女可以把零食品嚐完。

緊緊握著拳，她知道自己在幹什麼，彷彿是劊子手般，一而在再而三的殺害無辜的人們，但是她不後悔，在她親手拿刀刺進妍華的頸子時她就知道，這才是唯一拯救這些人的方式。

離開房間，骨女陶醉般的笑著，望著地上的火苗，闔上雙眼，好不容易終於等到死亡的這天。

門外的馮千靜依慣例進入徹底黑暗的走廊，雕像看見他們一臉喜出望外，她拿手電筒往天花板照去，現在那些負責攫抓的屍體竟不在。

「妳終於來了，我好怕妳聽不見。」雕像激動的說著。

「嗯……我才大一，學法文沒多久，你能用英語嗎？」馮千靜用英文說著，單字她沒學這麼多啊！英語就算沒很好，至少劉品娜在嘛。

「快走吧，掀開布幔後都不要回頭不要轉彎，一路往前跑，快點離開這裡。」雕像果然立刻用了腔調很重的英文說著，「這條才是出口，你們要是走了別條就完了！」

「我們為什麼要相信你？」毛穎德倒是不客氣，「你可是個騙子大誘餌，刻意引誘人上當，然後讓鬼屋給那些有所回應的人禮券。」

雕像擰眉，「不然你以為我為什麼會說話？會說話的有好幾個，各種語言，為了挑選素材……等我沒用之後，或是下次到哪個國家時，有時會需要其他人……」

夏玄允不安的回頭，這細窄的長廊雖然沒有其他機關，但是反而讓他覺得什麼都看不見更危險。

「追兵很快就到了，這條路眞的是出口嗎？」他也質疑，「鬼屋出去的路有五條，我們現在要改路還來得及。」

「就是這條！這條最少人走，根本沒人敢過來！」雕像忽然大吼起來，「我在這裡有我的工作，但我沒說過謊，我是巴黎人、我住在第四區，我眞的叫Léo！要不是爲了買一件POLO衣，我也不會……」

毛穎德戮了馮千靜一下，她怎麼看？這個雕像的話眞的能信嗎？

「多久了？」最後面的劉品娜突然開口。

雕像無法轉動頭部，只能聽著聲音，轉動眼睛，「三年了……」

「巴黎大學？」劉品娜繼續說，只見Léo瞪圓了雙眼，「三年前在市區失蹤，朋友說他想去買件新的衣服，卻再也沒來會合，沒有店家說看過這個顧客！」

站在她身前的夏玄允好訝異，「妳調查過？」

「妍華失蹤後，我留意著所有跟服飾店有關的失蹤案件，我也跟他國的失蹤親友有所聯繫。」劉品娜終於走上前，手裡滑著手機，「法國巴黎……！」

她調出了一張照片，轉給Léo看。

一秒飆淚，雕像Léo失控的嚎啕大哭起來，毛穎德跟馮千靜紛紛湊上前看著那陽光大學生的照片，五官模樣的確跟雕像如出一轍……他眞的沒說謊！

馮千靜踢了踢半身像的基座，裡頭果然空心，Léo沒有雙手無法抹淚，毛穎德找到衛生紙爲他擦拭。

「不必踢了，我被砍掉雙手，再塑型成雕像的樣子，身體則藏在這基座裡。」他哽咽的眼神往左邊的布幔看去，「快走吧，記住一定要筆直的跑，絕對不要懷疑，不管發生什麼狀況，往前衝就對了！」

「如果出不去呢？」馮千靜擰眉，望著那厚重的布幔。

「那只好……跟我們在這裡生活了。」Léo泣不成聲。

「那倒不會。」劉品娜深吸了一口氣，「就算出不去，我也不想變成這樣，這邊會全數燒光的。」

「說不定他們已經滅火了咧！」夏玄允可不抱持太好的想法。

「沒關係，我有備案。」劉品娜翻過手機，瞥了一眼Léo，「在結束前讓你知道，你家人非常非常愛你，到現在還在尋找你。」

Léo悲傷的望著劉品娜，不停說著法文的謝謝。

「等等！」毛穎德伸手擋住她的手機，「什麼是備案？」

「我在五樓放了定時器，那些雕像瓷器娃娃應該沒有那麼聰明會發現吧！」劉品娜聳了聳肩，敞開外套，讓他們瞧見不知何時不見的腰包！「時間到就會點火，簡單物理。」

「妳做了炸彈？」馮千靜忍不住驚呼出聲。

「不是炸彈，只是自動引燃裝置……跟汽油擺在一起而已啦！」她皺眉，「高中理化的程度啊！」

「我學的跟妳學的不一樣！」馮千靜用力搖頭，她學的是格鬥，理化什麼的哪記得啦！「還有多久？」

「奇怪……」她皺起眉頭，「應該已經點火了啊，爲什麼沒有動靜……我設定同步的！」

「怎麼了嗎？」夏玄允趕緊上前。

「我用手機遠端遙控定時器，明明設定同步的，但是現在定時器好像卡住了！」她顯得慌張，「不行，五樓也不能放過！」

「走啊！」Léo 一直在旁邊大喊。

回去……劉品娜竟回首，猶豫著是否要回去五樓處理那個定時器。

「妳別傻了！」夏玄允立刻拽過她，「妳不要考慮太誇張的事！」

毛穎德看向了馮千靜，臉色異常凝重，他有個方法。

他其實有一種微弱又沒什麼用的能力，大概是史上最內咖的「言靈」，動畫跟漫畫裡的言靈都超威的，偏偏他這個能力不僅二十四小時只能用一次，還只能用在超簡單的日常生活瑣事上。

別想要什麼賺大錢之類的，都得是不必言靈也能做到的小事。

馮千靜與之互視，明白毛穎德的意思，她點了點頭，握住他的手臂，輕輕拉起並轉向劉品娜。

毛穎德做了一個深呼吸，勉強擠出笑容，拿過劉品娜的手機。

「其實，妳的定時器都是完好的。」

噠、噠，秒針開始動了。

「快走吧！」毛穎德把手機扔還給劉品娜，立刻轉身推著馮千靜往前走，不忘瞥了Léo一眼，「希望你沒有騙我們。」

「我不會說謊的！」Léo氣急敗壞的用法文說著毛穎德根本聽不懂的話。

劉品娜看著手機，詫異的看著時間繼續走，「眞的沒壞耶，再五秒！」

馮千靜用力揪著布幔，咬牙揭開，正常鬼屋參觀時，這一揭開就是鬼屋出口，但現在卻是一條又長又黑的方型通道，沒有任何裝置，像個立體長箱子似的。

咚——咚——巨大的聲響驀地來自遠方，那是一種奇怪的巨響，伴隨著驚恐的叫聲，他們只能邁開步伐拔腿狂奔，伸手不見五指的黑暗中，兩支手電筒邊跑邊晃，沒有人有空留意前後左右甚至上下。

「哇啊！」跑到一半，走道突然開始左右晃動，所有人直接跌落在地。

「起來！只是走道搖晃而已，機關的一種！」馮千靜連忙穩住重心，第一次在鬼屋裡跟Léo面對面時，那裡也有這般的搖晃機關，目的也是爲了嚇人……或是不讓她跟Léo繼續交談。

走道搖晃得如此嚴重，他們便無法像一開始跑得那麼快，加上李彥樺行動不良，劉品娜腳有挫傷，長程跑步就出現了問題，無法持久。

而詭異的巨響伴隨迴音，卻越來越近了。

「到底是……」夏玄允忍不住回頭看著，這一看就傻了。

劉品娜都已經跑過了他，過了好一會兒才發現夏玄允一直沒跟上，「等等，夏天沒跟上來！」

什麼！毛穎德立刻回身，「夏天！」

馮千靜高舉手電筒看著前方，這簡直像是沒有盡頭的甬道，他們是不是被耍了？

怒不可遏的回頭，照著所有回身的人們，不管來時路還是前頭，全部都是無止盡的長路，但是現在後方他們剛跑過的地方，竟然一段一段的「收」起來了。

夏玄允將手電筒的亮度開到最大，馮千靜如法炮製，看著遙遠的走道砰咚——有一段就這麼不見；再砰咚，又一段跟折疊盒一樣向後折起。

「這是……空間折疊！」夏玄允下巴都快掉下來了，「這裡的空間要不見了！」

「我說、我說……」李彥樺激動的扯開嗓子，「那我們是不是應該再跑快一點啊？」

馮千靜根本聽不懂什麼時間還是空間折疊的，她只知道再不跑，自己也會跟著被一塊兒收進不知名的地方，回到籠子的話根本免談！

空間折疊疾速逼近，夏玄允回身架起劉品娜的右側，拖著她一起跑；而越跑越吃力的李彥樺痛不欲生，毛穎德上前抓住他皮膚完好的右手邊，協助他一起往前，但是李彥樺太高太重，這樣根本衝不快。

「馮千靜！幫忙！」毛穎德忍不住開口。

「不……不行，她撐不動我的！」人高馬大的李彥樺拒絕著，「我自己走！」

「放心，她撐得住的。」毛穎德認眞的望著他。

馮千靜回首見狀立刻奔來，二話不說拉過他滿是肌肉束的左手，粗暴的讓李彥樺淒厲慘叫。

「痛總比被困在這裡好吧！」她大喊著，看向毛穎德，「一、二、三！」

嘿！他們架起李彥樺，他簡直逼近騰空的被一男一女架起來往前狂奔，李彥樺詫異的看著馮千靜，毛穎德就別說了，一身肌肉看得出有在練身體，但是馮千靜看不出來居然力氣這麼大！

順著路跑，不能轉彎，中間有許多岔路馮千靜都忽視了，但是迴音越來越重，空間折疊的速度比他們快多了，眼看著只距離他們不到五十公尺了——咦？

她舉起手電筒往前，以爲自己看錯了，正前方出現了光！

「門！」她尖叫著指著前面，「看見沒有？」

所謂的門，是在黑暗長廊盡頭一道微弱細長的光，但是那道光越來越寬，彷彿有人打開了一道門，讓光線射入，總之是個長方形的發亮框框。

郭岳洋把另一間試衣間的門打開，找了個東西抵住。

「喂，你們是說這扇門也要打開對吧？」他不安的回頭望著櫥窗裡的兩尊模特兒，他們不約而同的眨了一下眼，「一下是對，啊可是開這兩道門幹嘛？」

模特兒沒反應，郭岳洋也不知道該怎麼辦，這間試衣間是劉品娜掉下去的那間，試衣間較寬，因爲底端還有道倉庫門，他剛也已經打開，還用椅子卡住了。

退後幾步，不小心踩到了一隻斷手，他趕緊跳開；望著地上斷成三截的店員正妹，他有點抱歉。

都馬是剛剛這個店員正妹想關鐵門，他情急之下只好衝進店裡阻止，店員正妹超凶狠的拿東西要攻擊，他就不小心拿出每天晚上被馮千靜扭轉的招勢，把店員正妹摔出去了。

怎麼知道一推一摔，她居然就破了……在等待的時間，變成他跟模特兒的溝通時間，好不容易才找出模式的呢！

「你們說地板都封著，他們怎麼回來？」他有點焦急，「都快一個小時了，這該怎麼辦？」

模特兒還是沒眨眼，只是望著他。

「啊！」

突然一陣驚叫，馮千靜整個人從倉庫裡摔了出來，直接撞上牆，郭岳洋嚇得目瞪口呆之際，後面又摔來一個半身畫滿肌肉束的人，就這麼壓在馮千靜身上又往旁邊滾落，接著再衝出來的是毛穎德！

「痛！」馮千靜趕緊撐著牆起來，「出去！快點出去！」

她一站起就跳過李彥樺往外跑，指著郭岳洋揮手，「走啊！」

「不是，你們怎麼會從這裡……」

「出去啦！把玻璃門打開！」她邊喊，一邊回頭要拉李彥樺起身。

玻璃門？郭岳洋往外走去，早就被毛穎德撞爛了啊！

毛穎德早一步使勁拉起李彥樺，李彥樺因爲失去皮膚的部分不停受到磨擦，劇痛讓他連站立都困難。

「咬牙都給我撐下去！」馮千靜在他右背上一擊，「站直！」

「喂！他眞的很痛！」毛穎德指向後面，「去看夏天他們！」

「也太慢了吧！」她看著試衣間底端，到現在還沒到？

馮千靜急著往倉庫門口去，卻冷不防的與衝出來的夏玄允跟劉品娜撞成了一團！

「啊呀……」大家滾成一起，但身後的巨響近在咫尺了！

毛穎德立刻推了李彥樺一把，叫他趕快出去，回身進去把馮千靜先往外拖，再把上頭的劉品娜拎起來。

下一秒，倉庫底端不見了！

「起來！」毛穎德拉起站不穩的夏玄允背後，直接往外扔。

馮千靜衝出試衣間時，天花板的甘蔗板竟然跟著扭曲崩塌，可能是因為空間已扭曲，天花板全部往下落，還有的直接落上李彥樺身體。

「啊！」馮千靜低頭欲閃，卻發現李彥樺幫她擋住了。

「快出去！」他低吼著，砰磅又一聲，這麼近瞧，可以看見服飾店左邊那塊彷彿被擰毛巾一般，整個扭轉後，眞空向後吸走消失。

馮千靜跳了出去，夏玄允是被毛穎德推出去的，路上還順便撞上劉品娜，兩個人一起撲飛而出，毛穎德沒有時間猶豫，勾過李彥肌肉外露的手臂，腳蹬向服飾店中間的衣櫃，帶著他一塊兒跳撲而出。

砰——

巨大聲響與落地聲幾乎同時，毛穎德簡直痛得不得了，被劉品娜跟夏玄允壓在身下的馮千靜連動都不想動了，好累……她有種跑完馬拉松的感覺，精疲力盡……

「嗚……」劉品娜向旁滾去，她躺在夜半冰冷的柏油路上，感受著自己的雙手雙腳，至少還在……

「夏玄允！還不起來！」馮千靜回過了神，不客氣的將他推開，「下去啦！」

「哎唷……我沒力氣了……」夏玄允任她推滾，無力的趴在路上。

馮千靜撐起身子，不可思議的看著眼前的服飾店，前頭的毛穎德也已經半撐起來，他們都望著一片擋泥牆。

沒有招牌、沒有店面，只有擋泥牆跟上頭幾棵零星的樹。

「對啊，這裡原本就是這個樣子……」馮千靜喃喃的說著，一直以來，這裡就沒有過店家啊！

郭岳洋是唯一一個親眼目睹所有的人，他瞠目結舌的站在馬路上，剛剛服飾店突然像裡面有黑洞一樣，嘩啦的把所有東西都吸進去了——下一秒，這裡就恢復了原本的樣子。

「你們到底做了什麼啊？」他呆晌的問，「店不見了耶！」

「不見了……好。」劉品娜趴在地上，好不容易才轉過身，「這種店本來就不該存在。」

毛穎德舒了口氣，勾勾右手邊的李彥樺，「喂，結束了，我們立刻送你去醫院。」

李彥樺沒有回答，而毛穎德勾著的左手卻極度冰冷且僵硬，他轉頭看向手上勾著的手臂，只有一條左臂，上頭像是繪畫般畫著肌肉束，但是不管怎麼觸碰，

都是假人模特兒的手！

「怎麼可能！」毛穎德捧起那條斷臂，不可思議的喊著，「李彥樺！李彥樺！」

正把夏玄允攙起的郭岳洋一征，「李彥樺？你們找到他了？啊，剛剛那個……」

是找到他了。

馮千靜早已站起來，僵著身子走向了滾到一旁的「李彥樺」。

那是尊只有上半身的塑膠製假人模特兒，左半邊沒有肌膚，呈現的是肌肉束，右半邊是健壯的體格與正常的皮膚，下半身不亦而飛，而頭顱保持完整，有著綠色的頭髮，還有他們都熟悉的五官。

李彥樺瞪大雙眸，嘴巴微張，表情凝結在這一刻。

毛穎德走了過來，凝視那仰躺著的「李彥樺」，腦海裡浮出他的聲音：「我們已經是傳說裡的一部分了。」

「試衣間的暗門」都市傳說，沒有回到世界的例子。

尾聲

不管轉到哪一家電視台，播報的都是一樣的頭條新聞，惡夜大火，燒毀了新涉谷區的黑暗莊園。

一把火燒得一乾二淨，警方還在調查失火原因。

馮千靜癱坐在地毯上，無力的望著電視，然後才發現身上有瘀青跟小傷口，最煩的是她累得連動都動不了了。

身邊所有人或窩在沙發上，或是半躺在地上，累得要死捨不得睡，全都注意著被燒毀的鬼屋。

最終，他們誰也沒救成。

「試衣間的暗門」只要遇到，完全沒有逃生的機會，他們例外是因爲大家是有備而來的，否則光是第一關的籠子，誰能破籠而出？還是夏玄允想得周到。

傳說中被帶走的人，可以傳送「4444」的訊息求救，雷小璐或許曾聽過這樣的傳說，只是慌亂中傳給了什麼都不知道的馮千靜……不，就算她知道也無能爲力。

至於爲什麼雷小璐有機會能傳LINE?隨著鬼屋的消失，這將永遠是個謎。

而傳說中的畸形秀改以現代鬼屋的方式呈現，這幾年很流行的市區鬼屋，租幾層樓，裝潢佈置成醫院或是鬧鬼校園、教室等模樣，吸引有興趣的人購票參觀；其規模與活潑性都勝於遊樂園的鬼屋，而且更複雜也更具挑戰性。

設下誘餌，利用人的貪念給予禮券，吸收他們要的「人材」，而服飾店照常開門，願者上勾。

在一個城市不必待久，只消三個月，就能帶走好幾人。然後，彈指之間就能瞬間消失得無影無蹤，他們怕什麼?

毛穎德沮喪的坐在茶几另一邊，他沒有想到好不容易把李彥樺拖出來了，他卻化身成假人模特兒，連頭髮都成了尼龍假髮。

在試衣間的都市傳說裡，眞人將成道具、道具雕像能化成眞人活動，而所有人卻再也不能步出都市傳說。

他也終於明白，爲什麼當時蔡孟宏把手機扔出店外時，沒有人將之撿走湮滅證據——

因爲，他們誰也走不出店外。

「都結束了嗎？」夏玄允有氣無力的坐在沙發上問著。

「結束了。」劉品娜幽幽開口，她也跟著他們回宿舍了，「燒得徹底了不是嗎！」

「沒有發現傷亡，只有裡頭的物品付之一炬……」馮千靜喃喃的看著新聞，「沒有人知道，清理搬運出的那些垃圾，都曾是人……」

就連李彥樺的假人模特兒，他們也只能忍痛扔進了垃圾場。

「這是沒辦法的事，至少他們解脫了。」劉品娜坐直身子，眼淚悄悄滑下，「我終於找到妍華，我一點都不後悔。」

門外傳來鑰匙聲，但是都沒人有氣力去開門，郭岳洋拎著一大堆東西進來，香味四溢！

「吃早餐囉！我買超多的！」所有人中就屬他體力最好，因爲他的工作一開始就是阻止店員落跑跟關上鐵門啊！

貼心的擺放一堆東西在茶几上，還幫忙插吸管、拆筷子的。

「謝謝！」毛穎德由衷感謝，「更要謝謝你及時開了門。」

「對啊，不然我們不知道要跑多久！」夏玄允滑下沙發，立刻給了郭岳洋一個大大的擁抱。

「喔，那是模特兒跟我說的啦！」他笑出一臉羞赧，「我們溝通很久呢！」

「模特兒？」馮千靜立刻皺眉。

郭岳洋立刻開心的娓娓道來！

從他打破店員正妹後開始，在店裡無聊發慌的他又跑去跟模特兒說話，結果發現他們拼命移動眼珠子，因此他開始猜測他們的意思。

「我說櫃子，他們沒反應，再說電話也一樣，後來我就說了，Yes眨一下眼，No眨兩下。」郭岳洋很認眞的說著，「男生聽中文，女生是聽得懂英文，我還把他們兩個轉向店裡，每一樣東西用指的，好不容易才指到門。」

結果指向靠櫃檯的門，連續眨眼，搞得他不知道是對還是錯，只好猜說是門，但不是這扇，他們才用力眨了一下眼。

「我就知道是另一間了，女生一直使眼色往遠處，我試探走進去指向倉庫，他們眨得超認眞的！」郭岳洋一臉邀功的得意樣，「接著我就在店員正妹身上找到鑰匙，打開倉庫門，也跟著敞開試衣間的門……不過那時我不知道用意是什麼啦！」

「那兩個模特兒也是眞人吧！」劉品娜苦笑搖首，「每天看著大千世界卻不能獲得自由，還有明知有人會踏入陷阱也無法救助，這實在太痛苦了。」

「唉，不過應該都結束了吧？」馮千靜逼自己抖擻起精神，拉過蘿蔔糕，「希望每個人都脫離地獄了！」

是啊，結束了。

大家紛紛打起精神，快填飽飢腸轆轆的肚皮，恢復一下體力，雖說徹夜未眠也痛苦，但遺憾的是今天不是星期假日，還是得打起十二萬分的精神去上課。

不管是雷小璐、何芳眞、蔡孟宏或是李彥樺，他們不會在那個殘忍的地方度過十年、二十年，痛過也恐懼過，但所幸這樣的時間並不會延長。

馮千靜默默的看著劉品娜，果然是很堅強的人，不僅費盡心力找了同學十年，甚至不惜親自嘗試都市傳說，還帶了破釜沉舟的覺悟去的。

她只是看著手機，雷小璐傳給她的LINE停留在最後一封「4444」，她甚至不知道雷小璐當初是怎麼發出這個訊息的，但表示她之前就聽過試衣間的相關傳說……

無論如何，她都會保留這個訊息。

「劉律師，我可以問一件事嗎？」馮千靜好奇的歪了頭，「妳有想過……萬一離不開試衣間，或是下場也很慘這個情況嗎？」

「當然有。」嘴裡嚼著蛋餅的劉品娜點頭，「我什麼情況都設想過了！」

「那……萬一被困住怎麼辦？」

「我就自焚。」她說得輕鬆自若，「我全身上下都帶著汽油跟火，就算燒不掉那邊，至少我能解決掉自己……我不會任他們動我分毫！」

哇塞，毛穎德望著劉品娜，眞是個跟馮千靜有得比拼的人。

「不過幸好沒到那一步呢！」夏玄允笑著回頭，「還找到了方妍華。」

「是啊！」劉品娜看上去相當愉快，「終於放下了我心頭大石。」

尋找十年的毅力，再手刃好不容易見到的好友，馮千靜還是覺得好感動。

「妳未來還是會繼續跟那些失蹤人口的親友聯繫嗎？」郭岳洋心裡其實很欽佩她，「會跟他們說，他們的家人……」

「有的事只能是祕密，若非親眼目睹也不會信。」她正視著郭岳洋，「我不但會繼續跟他們聯繫，還會繼續注意相關的失蹤事件，若是再有試衣間的暗門出現，我一定……」

「噢噢噢！」夏玄允放下食物立刻回頭，握住了劉品娜的手，「歡迎妳加入『都市傳說社』成爲我們的一員！」

「呃……」劉品娜錯愕非常，「這是……」

唉，馮千靜雙手離開桌面，轉頭看向電視，毛穎德起身到廚房去拿牛奶，郭岳洋跟夏玄允卻都用著閃閃發光的眼睛瞅著她，巴不得她點頭。

「我不是貴校的學生……」劉品娜尷尬不已，「我是律師，我……」

「沒關係！妳可以成為貴賓啊，妳這份執著，一定可以成為我們的一員了！」

郭岳洋也熱情邀約。

「一員……」劉品娜向右邊地板瞟去，朝馮千靜求救。

她瞥了她一眼，立刻起身也朝廚房走去，「毛穎德，我也要一杯。」

「是啊，因為我們都是——」夏玄允體力突然恢復滿點，跳出茶几外，跟郭岳洋比劃一種極度搞笑的姿勢，「都市傳說收集者！」

馮千靜跟毛穎德躲在廚房裡，這兩個可不可以不要這麼丟臉啊！

果不其然，鑰匙聲即刻傳來，接著是疾速的步伐，「時間差不多了，我今天還要上班，我們再聯絡吧！謝謝你們的幫忙！」

開門，掩門，走人，毛穎德一點都不意外。

「喂，我想到一件事。」他放輕音量，「如果他們沒人能走出鬼屋或是服飾店的話……」

「嗯哼。」馮千靜把杯子遞給他，一起微波，「是不能啊，連店員最多也只站在門外的階梯上。」

「那……那個跟大家爭執的店長呢？」

熙來攘往的人潮裡，各式各樣的攤販都有，有人邊啃著小吃邊逛街，有人則是擠著挑手機殼。

「開幕特價喔！開幕大特價！」一個中年女人發著傳單，「咦等等！同學！」

她突然攔住一個啃著玉米的女孩。

「呃，對不起，借過。」女孩意圖繞過。

「給我一分鐘就好，我只是要問——妳今天是一個人來逛夜市的嗎？」

女孩狐疑的打量她，皺著眉緩緩點頭，「又怎樣？」

「噢噢！恭喜！我們今天就在找獨立的女生！」她立刻把滿手傳單往斜背包一塞，再從腳邊拎起一個板子，「抽獎吧！試試手氣，最差也有一杯飲料啦，斜對面那攤厚！」

女孩看著她指的方向，的確有個果汁攤，再好奇的望著眼前的板子，簡單的紙板上黏貼許多紅包袋，但是沒有消費就有得抽獎？

「還是不要好了！」她乾笑，擺擺手就走。

「哎唷，同學！不是詐騙啦！」女人趕緊再擋住她的去向，「現在一個人出來逛街的女生很少了，我一晚上才遇到三個而已，沒看我都沒宣傳就怕有人造假！妳就抽抽看，我保證不留妳什麼資料的，只是想給妳個鼓勵！」

「眞的？」她想著，反正就算抽到什麼奇怪的東西，不要理不就好了！

「請！」女人豪氣的說著。

女孩俐落抽起其中一個小紅包袋，女人就把板子給收起，待女孩抽出紅包裡的小紙條時，她自己都嚇了一跳。

「這是……」紙條上面，寫著禮券兩千元整！

「噢噢噢！妳抽走我最大獎了！」女人趕緊壓低聲音，「妳手氣眞好！居然給妳抽到！」

「這什麼禮劵？」女孩好奇了。

「我是這巷子裡服飾店的老闆啦，看到沒有，就那間藍色招牌的，位子不好所以我出來發傳單。」女人抽出斜背包裡的一疊傳單，果然是服飾店的傳單，「這兩千元呢，沒有但書，直接折抵，但是妳買兩千元以下我不找零喔！」

女孩愣住了，「直接等於現金？不是說我要買一千才能用兩百……」

「沒有！就妳剛好挑到兩千一百元的衣服，付我一百元就好！」女人邊說，一邊把她輕輕往巷口推，「妳就去看，不買不勉強，反正這張是妳的了！妳自己去看，我還得發傳單！」

餘音未落，店門外的樓梯上站了一個女孩，朝著巷口揮著手。

哇塞，兩千元耶！女孩拿著禮券心裡歡呼，這簡直是賺到了！回頭看著女人已經又進入人潮裡發傳單了，她愉快的往服飾店走去。

「喂！是我啦！我先買東西喔，你下班再打給我！」她拿著手機講電話，「我跟你說，我超好運的，抽到一張禮券……對，一間新開的服飾店，好啦，再聯絡！掰！」

切斷電話，她揚著禮券對著門口的店員，「這張是妳們的嗎？」

「咦？兩千元……妳抽走了喔！」店員一臉驚訝，「恭喜，請隨便看看喔！」

她推開玻璃門，叮叮噹噹。

「歡迎光臨！喜歡的都可以試穿喔！」

後記

試衣間，應該很多人都進去過吧？

試衣間的都市傳說眞的非常久了，版本超級多，但有個不變的規則就是：進入試衣間→失蹤→多年後舊故人會在畸形秀裡見到無手無腳的失蹤者……

這眞的太可怕了，誰能想像只是去試穿一件衣服，就會迎向地獄般的未來？

相關類似的傳說或新聞、甚至是眞實案例其實很多，當年被拐走的孩子，是否被斷手斷腳、或是弄瞎了眼睛成爲乞丐在路邊乞討，而生身父母經過卻彼此不相識？

總在想這類傳說可能是從「誘拐」開始的，或許是眞實、或許是勸世文，但永遠不要忘記，都市傳說總是在你我身邊啊！

話說回來，眞的沒有人覺得試衣間有點詭異嗎？我不是說阿飄好兄弟的詭異，是那種……到底有沒有人在偷窺的詭異。

有時候進入的試衣間，剛好裡頭是店家的倉庫，所以更換衣服的地方底端還有另外一扇門，帶鎖的倉庫門；可是換衣服總是會想，那裡面有沒有其他人？門會不會突然被拉開？啊萬一我脫光光時突然有人衝出來我該怎麼辦？（嗚）

其二，是女生現在最怕的針孔偷窺，或是雙面鏡效應，變態何其多，永遠搞不懂爲什麼這樣偷拍他們就會很開心？

希望看完後，大家進試衣間不要每面牆都壓壓看啊，萬一眞的給你找到密室那該怎麼辦咧？（咦？）

在寫這個都市傳說時，也帶進了現在超流行的解謎鬼屋，現在好流行這種室內的探險遊戲，有的是解謎、有的是鬼屋，大家可以結夥一道兒去，既刺激又好玩（記住不可以傷害工作人員喔！），我一直覺得很適合這次的故事，所以便將它們結合在一起。

至於爲什麼會有「人似雕像、雕像似人」的場景，腦子裡當時湧現電影《盒裝美人》的畫面，男主角爲了將女主角永遠留在身邊，不惜剁去她的四肢，好讓她無法離開，並且只能依賴他生存。

而剁下的修長的美腿與雙手，便裹上石膏，鑲在他原本的維納斯雕像上——維納斯雕像原本是斷手及無腳的，他家的可是有著婀娜體態、四肢具足的維納斯雕像啊！

一瞬間湧起的畫面，造就了這樣的鋪陳，或許不是那麼單純的在服飾店或是畸形秀裡，但最終總是能豐富笭菁版的都市傳說。

最後，大家所關心的，六集之後——都市傳說是否還有後續？

夏天還沒探索完所有的都市傳說、洋洋的記錄本也尚未寫全、很不甘願但沒辦法的毛毛只能跟著進行無言的抗議、小靜還得繼續比賽，都市傳說社才創社沒多久，好像還不能這麼快就結束喔！

都市傳說第七集，將帶您進入哪個都市傳說呢？敬請期待。

最後，再次感謝購買本書的您，購書是對於作者最直接並有力的支持，謝謝您！

※拿到太優惠折價券不要隨便進去啊！

笭菁 2015.5.19

國家圖書館出版品預行編目資料

都市傳說6：試衣間的暗門 / 笭菁著, -初版-台北市：奇幻基地，城邦文化發行；家庭傳媒城邦分公司發行；2015.06（民104.06）
面：公分. –（境外之城：51）

ISBN 978-986-5880-98-9（平裝）

857.7　　104006171

ISBN　978-986-5880-98-9
Printed in Taiwan.

境外之城 051

都市傳說6：試衣間的暗門

作　　者／笭菁
企畫選書人／張世國
責 任 編 輯／張世國
發　行　人／何飛鵬
總　編　輯／楊秀眞
業 務 經 理／李振東
業 務 主 任／范光杰
行 銷 企 劃／周丹蘋
法 律 顧 問／台英國際商務法律事務所　羅明通律師
出版／奇幻基地出版
城邦文化事業股份有限公司
台北市 104 民生東路二段 141 號 8 樓
電話：(02)25007008　傳眞：(02)25027676
網址：www.ffoundation.com.tw
e-mail：ffoundation@cite.com.tw
發行／英屬蓋曼群島商家庭傳媒股份有限公司城邦分公司
台北市 104 民生東路二段 141 號11 樓
書虫客服服務專線：(02)25007718．(02)25007719
24 小時傳眞服務：(02)25170999．(02)25001991
服務時間：週一至週五09:30-12:00．13:30-17:00
郵撥帳號：19863813　戶名：書虫股份有限公司
讀者服務信箱 E-mail：service@readingclub.com.tw
歡迎光臨城邦讀書花園 網址：www.cite.com.tw
香港發行所／城邦（香港）出版集團有限公司
香港灣仔駱克道 193 號東超商業中心 1 樓
電話：(852) 2508-6231 傳眞：(852) 2578-9337
e-mail : hkcite@biznetvigator.com
馬新發行所／城邦（馬新）出版集團
【Cite(M)Sdn. Bhd.】
41, Jalan Radin Anum, Bandar Baru Sri Petaling,
57000 Kuala Lumpur, Malaysia.
電話： (603) 90578822　傳眞：(603) 90576622
E-mail:cite@cite.com.my

封面內頁插畫／AFu
封面設計／邱弟工作室
排　　版／極翔企業有限公司
印　　刷／高典印刷有限公司
■2015 年（民 104）6月2日初版一刷
■2024 年（民 113）4月10日初版15.5刷
售價／260元

廣　告　回　函
北區郵政管理登記證
台北廣字第000791號
郵資已付，免貼郵票

104台北市民生東路二段141號11樓

英屬蓋曼群島商家庭傳媒股份有限公司城邦分公司 收

請沿虛線對摺，謝謝

奇幻基地

每個人都有一本奇幻文學的啓蒙書

奇幻基地官網：http://www.ffoundation.com.tw
奇幻基地粉絲團：http://www.facebook.com/ffoundation

書號：**1HO051**　　　書名：都市傳說6：試衣間的暗門

請於此處用膠水黏貼

奇幻基地

讀者回函卡

謝謝您購買我們出版的書籍！請費心填寫此回函卡，我們將不定期寄上城邦集團最新的出版訊息。

提供訂購、行銷、客戶管理或其他合於營業登記項目或章程所定業務之目的，英屬蓋曼群島商家庭傳媒(股)公司城邦分公司於本集團之營運期間及地區內，將以電郵、傳真、電話、簡訊、郵寄或其他公告方式利用您提供之資料（資料類別：C001、2、C003、C011等）。 利用對象除本集團外，亦可能包括相關服務的協力機構。如您有依個資法第三條或其他需服務之處，致電本公司客服中心電話(02) 25007718請 求協助。相關資料如為非必要項目，不提供亦不影響您的權益。

姓名：________________________　　性別：□男　□女

生日：西元__________年__________月__________日

地址：____

聯絡電話：__________________傳真：__________________

E-mail ：____

學歷：□1.小學　□2.國中　□3.高中　□4.大專　□5.研究所以上

職業：□1.學生　□2.軍公教　□3.服務　□4.金融　□5.製造　□6.資訊

□7.傳播　□8.自由業　□9.農漁牧　□10.家管　□11.退休

□12.其他________________________________

您從何種方式得知本書消息？

□1.書店　□2.網路　□3.報紙　□4.雜誌　□5.廣播　□6.電視

□7.親友推薦　□8.其他________________________

您通常以何種方式購書？

□1.書店　□2.網路　□3.傳真訂購　□4.郵局劃撥　□5.其他

您購買本書的原因是（單選）

□1.封面吸引人　□2.內容豐富　□3.價格合理

您喜歡以下哪一種類型的書籍？（可複選）

□1.科幻　□2.魔法奇幻　□3.恐怖　□4.偵探推理

□5.實用類型工具書籍

您是否為奇幻基地網站會員？

□1.是□2.否（若您非奇幻基地會員，歡迎您上網免費加入 http://www.ffoundation.com.tw/）

對我們的建議：________________________________

____

____

請於此處用膠水黏貼